[the interior Shake my life]

내 삶을 흔든 인테리어

행복의 시간 내집 고치기

내 삶을 흔든 인테리어

발 행 | 2024년 04월 19일
저 자 | 이왕재
펴낸이 | 한건희
펴낸곳 | 주식회사 부크크
출판사등록 | 2014.07.15.(제2014-16호)
주 소 | 서울특별시 금천구 가산디지털1로 119 SK트윈타워 A동 305호
전 화 | 1670-8316
이메일 | info@bookk.co.kr

ISBN | 979-11-410-8113-3

www.bookk.co.kr

[the interior Shake my life]

내 삶을 흔든 인테리어

이왕재 지음

행복의 시간 내집고치기

'지금 견적보다 올라가면 어떡하지..?'
'내 니즈가 잘 전달이 된걸까..?'
' 지금 고른 자재가 시공되면 이상한거 아닐까?'

THEURBAN DESIGN 공간디렉터 이왕재

Prologue. 시작하며

우리가 꿈꾸는 집을 만든다는 건 얼마나 기쁜 일인가?

'내 취향이 반영된 주방에서 맛있는 식사를 하고, 거실에서 TV를 보며 웃을 수 있고, 안락한 침실에서 휴식을 취한다.' 상상으로 그려오던 드림하우스를 가진다는 설레는 마음만으로도 우리의 공간은 행복 그 자체가 된다.

하지만 드라마 속 해피엔딩처럼 모두가 행복한 결말로 끝나지 못하는 경우들이 있다.

현실은 준비 과정부터 녹록지 않다. 온라인상에 다양한 실패 사례가 겁을 주며, 불안감과 초조함을 상기시킨다. 기회가 여러 번 있다면 실패를 밑거름 삼아 다음을 기약하면 되지만, 우리에겐 이번이 처음이자 마지막일지 모른다.

그러므로, 인테리어 '실패'라는 단어는 없어야 한다.

사실 인테리어 공사는 그리 거창한 일이 아니다. 사람과 사람이 만나 여러 공정을 거쳐 하나의 프로젝트를 완성해 가는 것뿐이다. 가야 할 길을 알고, 있다면 걱정거리가 없듯이 프로젝트를 완벽하게 수행하기 위해 알아야 할 조건과 방식을 안다면 전혀 겁을 낼 필요 없다.

빠르게 변하는 시장인 만큼 그에 맞춰 고객도, 업계 사람도 모두 변화하기 시작했다. 고객은 섬세한 감정 케어와 디테일 시공 완벽도를 요하고, 업체는 늘어나는 요구사항을 처리하기에 바쁘다.

이 둘 사이에 벌어지는 의견충돌이 곧 실패 사례로 마주하는 것이다. 나는 현직 인테리어 사업체 대표 겸 디자이너로 다양한 현장을 진행하며 많은 고객을 만났다. 클라이언트의 불안감이 무엇인지 마주했고, 해소가 되길 바라는 마음을 담아 오랜 시간이 걸려 이 책을 준비했다.

인테리어를 준비하는 사람에게 내 이야기가 든든한 가이드북이 되길 바란다.

Lee wang jae

CONTENT

"

Chapter. 1
인터넷 정보의 배신

"

예산 정할 땐 인터넷 검색부터?

시작은 모두 똑같다

드디어 집을 구입하기로 하고, 앞으로 깨끗한 예쁜 집에서 행복한 일상을 보내고 싶은 마음에 인테리어를 해보기로 했다. 그런데 제일 중요한 공사 금액이 전혀 감이 안 잡힌다. 설레는 마음으로 스마트폰을 켜고 #인테리어비용 검색하자 혼돈의 카오스가 열린다. "어…억…억대라는 금액이 몇만 원 말하듯 쉽게 나오는 세상이라니…"흔들리는 정신을 부여잡고 수많은 글과 댓글 정독을 하며 '30평대는 평당 100~130만 원 정도 되는구나!' 팁을 얻고, 인테리어에 쓸 수 있는 돈을 계산해 본다.

• 구매할 가전, 가구비용 + 인테리어비용(평당) 130만 원 = 공사예산

대충 예산은 나왔으니 내가 가지고 있는 적금과 여유 현금, 대출 등을 고려해 얼마까지 투자 가능한지 계산해 본다. 부담스럽긴 해도 이 정도면 OK! 다음 단계로 늘 보아오던 속 예쁜 집들을 둘러보며 마음에 드는 인테리어 업체로 문의 전화를 걸어본다.

"저희 집은 OO 아파트 34평인데요, 대략 공사 금액이 어떻게 될까요?"(고객)

"OO 아파트는 오래되어 전체 공사를 하셔야 할 텐데……,그럼 평당 최소 150만 원 이상은…"(업체)

전화 한 번에 예산초과가 되었다.

도대체 왜 사람들이 말한 공사 금액과 다른 걸까?

보고 싶은 '것'만 보이는 함정

정보화 시대에 검색은 필수이니 나 또한 소비를 하기 전에 내 예산과 맞는지 검색부터 시작한다. 검색이 필수인 시대라면서 큰 금액이 들어가는 인테리어는 온라인 정보를 믿지 말라고? 이건 또 무슨 소리인가 싶어도 이유가 있다.

오랫동안 이 일을 하며 생각이 변한 게 바로 수작업 가구, 조명 등 손으로 만드는 제품은 검색보단 발품을 팔아 '알아내자'이다. 인터넷에 2만 원이라는 사전 정보를 듣고, 찾아갔을 때 5만 원을 말한다면, 의심이 생겨 금액만 기억에 남아 합리적 판단이 어려웠다.

온라인 정보를 다시 짚어보면 같은 맥락이다. 흔히 볼 수 있는〈OO만원으로 전체공사 했어요〉내용을 잘 보면 금액은 정확히 있지 않고, 두리뭉실한 내용만 있을 뿐 공사 세부 내용 정보가 없는 경우가 많다. 검색 중점 자체가 비용이다 보니 부족한 정보라는 걸 인지하지 못하고, 보고 싶은 것만 보는 함정에 빠지게 된다.

이성적인 눈으로 다시 보면 '어떻게'가 빠진 내용은 정확한 정보로는 볼 수 없지 않은가! 그렇다면, 정확한 비교를 통해 현장에 따라 금액이 달라지는 이유를 찾아보자.

(1) **준공 1년 차**: 신축 아파트에 가까워 샷시부터 새집이라 봐도 무방하다. 철거, 교체할 곳이 많지 않아 부분 공사도 가능하다. = **비용 세이브** (save)

(2) **준공 20년 차**: 연차가 오래되어 기능이 상실되어 살릴 곳을 찾는 게 더 어려워 부분 공사는 불가능하다. = **비용 플러스**(plus)

40평대 아파트의 준공 1년 차 주방 모습

40평대 아파트의 준공 20년 차 주방 모습

물론, 인테리어비용도 대략 알아야 하지만, 공사 관련 확실한 정보를 알고 싶은 마음이라면 몇 가지 조건을 따져 봐야 한다.

① 우리집과 같은 면적(평)

② 비슷한 연식

③ 하고 싶은 컨셉(concept)

④ 자재 등급 등…

위 조건이 맞는 공사를 해보았던 사람의 정보라면 정확하다고 볼 수 있다. 하지만, 현실로 같은 조건을 가진 사람의 정보만 골라내기란, 사막에서 바늘 찾기 같은 느낌이다.

내 조건을 잘 정리한 후 발품과 시간을 들여 직접 상담받고, 예산을 잡는 것이 정확하고 합리적 방법이다.

인테리어업체의 시공 후기는 이곳에 있다

후기를 남기기엔 **불편한 현실**

내 취향과 맞는 업체를 찾았고, 천천히 포트폴리오(시공 사례 사진)를 살펴보며 사무실 위치와 간단한 정보를 검색 한다. 기본 정보들은 그리 어렵지 않게 검색이 가능했다. 그런데 무언가 빠진 듯한 기분이 든다.

'지금 보고 있는 집을 맡긴 사람들은 만족했을까?'

'이 업체 고객 응대 스타일은 어떨까?'

'도대체 어디서 후기를 볼 수 있는 거지?'

실제로 공사를 맡겨본 사람들 찐 후기는 아무리 찾아도 보이지 않는다. 요즘 천 원하는 다이소 제품도 리뷰로 넘쳐나는 세상인데, 인테리어업체 후기는 왜 찾기 힘든 것일까? 공사를 끝낸 고객들은 막상 현실로 다가오니 후기를 남긴다는 게 왠지 부담스러운 마음이 든다.

인테리어 공사를 해볼 기회는 생각보다 많지 않다. 집을 꾸미고 정리하는 것도 인테리어에 들어가지만 지금 중점은 〈공사〉이기 때문에 대중적으로 쉽게 경험하는 일은 아니다. 오히려 '대중적이지 않기 때문에 후기를 더 남기고 싶지 않을까?' 생각할 수 있지만, 접근성이 쉽지 않은 물건이나, 장소는 궁금해하는 사람도 많지 않다.

즉, 수요가 적다. 수요와 공급이 적은 특수 물건의 후기 문화가 자리 잡지 못한 경우가 많은 것처럼 말이다.

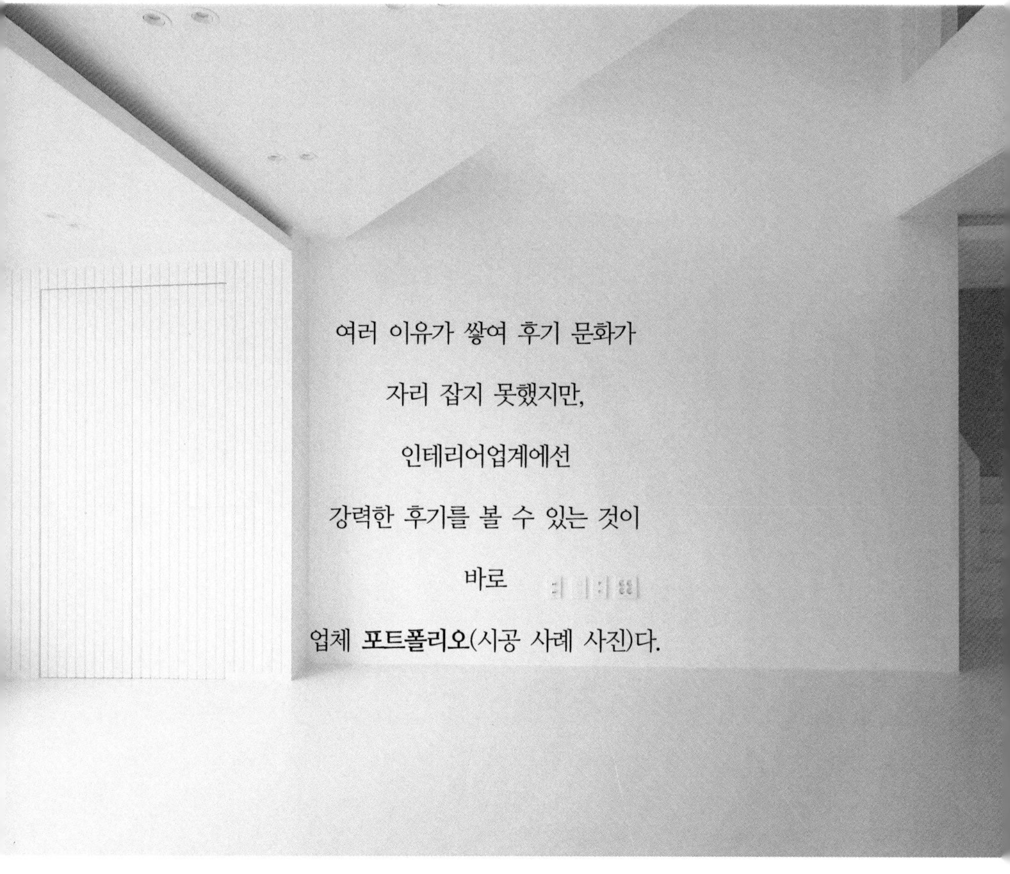

여러 이유가 쌓여 후기 문화가

자리 잡지 못했지만,

인테리어업계에선

강력한 후기를 볼 수 있는 것이

바로

업체 **포트폴리오**(시공 사례 사진)다.

출처. https://www.theurbaninterior.com/ [웹페이지내 작업한 현장들]

이보다 더 강력한 후기는 없었다

'**남는 건 사진**' 업계에 하는 흔한 말이면서 중요한 포인트이다. 사진으로 접하는 게 익숙한 인테리어에선 중요한 후기가 되고, 업체 평가물로 남는다. 그렇기 때문에 시간과 돈을 들여 공사 전/후 촬영을 진행하는데 여기서 공사를 막 끝낸 고객이 되었다고 생각해 보자. 지극히 개인 공간인 우리 집 살림살이가 모든 사람에게 공개되는 촬영을 협조해 준다는 건 어떤 의미일까?

실제 이렇게 얘기들 한다. "예쁜 집을 만들어 주셨는데, 당연히 협조해 드려야죠~" 더 멋진 사진을 남겨 주기 위해 청소와 홈 스타일링까지 신경 써주고 말이다. 살림살이가 사진을 통해 누군가에게 공개된다는 부담감을 뒤로하고, 포트폴리오(시공 사례 사진)를 남겨 주기 위해 협조해 주는 것이야말로 '**잘 끝났다.**'라는 강력한 표현이고, 업체에 대한 감사한 마음 대신해 사진으로 남겨 주는 의미이다. 그런데 유난히 공사 전/중(공사 진행) 사진은 많으나, 모든 게 끝난 준공(공사 후) 사진은 거의 없는 업체들이 있는데 이런 얘기를 할 것이다.

"**바빠서 아직 촬영을 못했다.**", "**고객님이 집 오픈하는 걸 꺼리셔서 우리는 고객님을 위해 촬영 안 한다.**" 등 여러 이유를 둘러댄다. 인테리어업체 관계자라면 모두가 알고 있다. 열심히 노력해 만든 작업물은 나에겐 사진으로 남는다는 걸 말이다. 그런데도 결과물을 '**남겨 놓지 않는다**'는 건 무엇을 의미하는 것일까? 만약, 고객과 불화(문제)가 있는 업체라면 준공(공사 후) 촬영 협조를 말할 수 있을까?

이것만큼 정확한 리뷰가 있을까!?

동네업체와 디자인업체가 따로 있다?

GPS가 주는 혼란

온라인 커뮤니티에 많은 인테리어 질문 TOP3 중 하나가 바로〈업체추천〉으로 동네(지역 근처)업체 vs 디자인업체를 크게 두 분류로 나눠 질문한 내용이 많았다. 두 업체 간 차이점을 정리해 보았다.

※내 위치 기반으로 가까운 곳을 '동네업체'라 칭한다.

※서울에 사무실이 위치하고, 디자인적 요소가 돋보이는 공사 위주로 하는 곳을 '디자인업체'라 칭한다.

☞ **여기서 잠깐!** 나의 착각에 늪 이야기를 잠시 풀어보려 한다.

나 또한 두 분류로 나누어 생각한 시절이 있었는데, '나는 디자인 욕심이 많아! 디자인 업체가 될 거야!' 목표를 정했다. 지역이 중요하다 늘 생각하고 있었지만, 첫 사무실은 경기도 외곽에서 시작했다. 그 당시는 서울, 특히 강남으로 사무실을 옮기면 자연스레 디자인업체가 된다고 믿고, 열심히 '동네업체' 역할을 했다. 실력(경력)을 쌓아갔고 5년 만에 강남 입성을 했다, 드디어 '디자인업체'가 됐다며 기뻐했다. 하지만 강남에 들어온 동시에 환상이 와장창 무너진 일이 생겼다. 이전한 사무실은 강남 신사동에 자리 잡고 있었고, 근처대로 건너편 00 아파트에서 상담을 오셨다. 한참 나와 대화를 나누던 도중에 누군가에게 전화가 왔고, 통화를 하며 말씀하시는 게 아닌가…

"나 지금 집 근처 <u>동네업체</u>에 잠깐 상담 와있어~" 결국 '내 위치 기반 가까운 업체' 동네업체이기 때문에 한순간 또 동네 업체가 되어 있었다. 되돌려 보면 지역으로 구분한 내 착각이었고, 동네업체와 디자인업체 차이는 결국 **공사 스타일**이라는 결론이 나왔다.

여기서 공사 스타일 차이란 크게 두 가지로 나뉜다.

1. 노후화된 공간을 깨끗하게 바꾸는 일, 보수, 수리에 가깝다.

(예) 누렇게 변한 벽지를 교체하고, 누수 된 곳을 수리한다.

2. 보수, 수리와 더불어 美(미)적 부분을 더한 디자인을 추가한다.

(예) 노후화된 곳 수리와 벽지 대신 페인트(도장)를 통해 고급스러움을 연출한다.

이처럼 기본 베이스는 같다. 노후화가 된 곳이나, 마음에 들지 않는 공간을 깨끗한 도화지로 만든 후 도화지에서 끝낼지 그림을 더 그려낼지에 차이다. 지금 내가 원하는 공사 방향성을 먼저 파악한 후 그에 맞는 업체를 찾는 것이 현명하다. 지역은 그렇게 중요한 게 아니다.

내가 공사하려 하는 스타일이 무엇인지를

먼저 고려해 보는 게 우선이다.

18년 된 주상복합아파트 공사 전

18년 된 주상복합아파트 공사 후

댓글자는 전문가가 아니라 경험자일 뿐이다

오늘 동지가 내일 적이 된다

※ 인테리어 관련 카페 질문 글 모음

일을 하면서 자주(자주라 쓰고, 매번이라고 읽는다) 듣는 말이 있다.

"저도 들은 건데…. OOO이건 하자가 생긴다고 하더라고요. 그런데 괜찮은 걸까요?" 오랜 경험으로 직감할 수 있다. '아~ 인터넷(네이버) 카페에서 보셨구나'

어찌 보면 나도 어딘가에선 고객 입장이 되기 때문에 어떤 마음인지 충분히 이해되지만, 출처가 불분명한 정보들에 지쳐가는 것도 사실이다. 소비자 입장에서는 경험자들 조언에 강한 신뢰를 갖는 건 자연스러운 일이지도 모르지만 불특정 다수의 정보가 독이 될 수도 있다는 걸 잊지 말아야 한다.

한번은 이런 일이 있었다. 조명인 다운 라이트(할로겐) 설치를 위한 전기작업 전 한 고객은 결정을 쉽게 내리지 못했다. 본인은 집 안에서는 밝게 생활하며, 저녁엔 잠 들기 전까지 불을 다 켜 놓고 지내는 편이라고 했다. 담당 디자이너 는 "조명 개수가 많다고 밝은 게 아니에요~ 조도와 맞춰 천장을 보았을 때 지 저분하지 않도록 할로겐 조명을 한 개씩 어두운 곳이 없게 공간 내 넓게 퍼트 려 조명을 설치하는 게 중요해요. 조명을 여러 개 붙여서 설치하여도 그 아래 만 밝을 뿐 조명이 없는 공간은 오히려 더 어둡고 침침하게 느끼실 거예요."라 며 설명을 했고 고객은 얼마 뒤 결정을 했다.

추천과는 다른 시공을 원한다는 것이다. 이 고객은 깔끔한 선 정리를 좋아하는 성향이라는 걸 담당자는 알고 있었기에 여러 번 설득을 해보았지만, 고객 결정 은 단호했다. 어쩔 수 없이 요청대로 조명 시공을 했다. 얼마 후 완성된 천장을 본 고객은 실망감을 감추지 못했다. 천장 가득히 차 있는 할로겐들은 지저분하 게 느껴졌고 조명이 없는 공간은 디자이너 말 대로 침침했기 때문이다.

"인터넷 카페에서 밝은 걸 좋아한다면 여러 개를 붙여서 설치해야 밝다고 했 는데…그리고 사진에서 봤을 땐 그렇게 지저분한 느낌이 아니었는데…(고객)" 라며 말을 흐렸다.

결국 고객은 재 시공을 할 수 없어 맘에 들지 않는 천장을 보며 지내고 계 신다. 어쩌면 우리 모두 겪을 수 있는 흔한 일이라고 생각한다. 밝음과 어 두움, 그리고 정갈함과 화려함 등 개인마다 기준이 다 다르다. 즉, 개인차가 크다는 말이다. 물론 '개인 의견'임을 감안하고 있겠지만, 본인도 모르게 군중심리에 따라가고 있다. 댓글을 달아주는 불특정 다수는 나의 취향이나 우리집 특성에 대해서는 잘 모른다. 본인 기준에서 좋고 틀림을 이야기할 뿐이다.

현재 우리집 상태, 전문 지식을 가지고 있는 건 지금 나와 함께 하고 있는 디자이너 혹은 업체의 의견도 맞지 않을까? 한번쯤 옆을 돌아볼 필요가 있 다.

불특정 다수는 **책임 의무가 없다**

왜 이런 상황이 일어난 것일까? 이유는 중요한 '**책임 의무**' 유무이다. 우리가 지불하는 돈 안에는 책임 비용도 포함되어 있다. 비전문가인 고객은 엔지니어를 고용해 공사를 진행하는 동안 집의 권리 및 책임도 함께 위임하는데, 불특정 다수들에겐 어떠한 책임 의무가 없다는 게 함정이다.

* 간단한 질문 ↔ 쉬운 답변이 가능한 이유도

바로 '책임 의무' 로부터 자유롭기 때문이다.

책임 의무가 있는 사람은 답변에 책임이 따르기에 언제나 신중해야 하고, 반대로 의무가 없는 사람은 쉽고 간단한 답변이 가능하다. 하지만 책임이 불러올 파장을 기억하자.

'모든 책임은 본인에게 돌아간다.'

깨끗함을 우선으로 샷시, 단열에 집중하고
실크벽지 도배와 광폭의 합판마루를 시공했습니다.
이 현장의 특징은, 붙박이장 안에 TV를 설치해
옷과 가전 등 수납 정리를 붙박이장에 같이 되도록
가구 설계 한 현장입니다.

보이는 숫자가 공사를 증명한다?

흔한 착시효과

'사람들이 많이 보는 업체라면 A/S도 잘되고 공사도 잘 하겠지'라는 생각으로 많은 팔로워 수와 다양한 포트폴리오(시공 사례 사진)를 가진 업체를 발견 후 상담 신청을 한다. 동시에 팔로워 수가 많지는 않지만 내 취향에 더 가까운 업체도 발견했다.

그런데 조금 망설여진다. **"유명하지 않은데···괜찮을까?"** 자신을 어필해야 하는 시대를 맞이하면서 마케팅은 빼놓을 수 없는 필수조건이 되었다. 이 업계에서는 여러 운영방침이 존재한다.

'실력만큼 마케팅도 중요한 업체'

vs

'마케팅 중요성을 크게 못 느끼는 업체'

결국 마케팅 비중을 운영에 얼마나 집중하는가에 따라 팔로워(구독자) 수가 결정된다는 말이다. 물론 예외도 있다. 마케팅에는 크게 비중을 두지 않았는데도 독창적인 디자인을 가진 업체는 수많은 사용자가 스스로 팔로워(구독자)가 되면서 의도치 않게 마케팅에 성공하는 경우도 드물게 있지만, 예외를 제외하고는 업체의 마케팅 비중이 곧 팔로워(구독자)수를 만든다.

나는 팬심으로 좋아하는 회사가 있다. 가끔 SNS에 사진을 올리며 팔로워(구독자) 수도 1,000명도 되지 않지만, 그곳의 업로드를 매일 기다린다. 이 회사에 대표는 마케팅 비중보다는 현장 비중이 더 크기 때문에 팔로워(구독자)를 늘리는데 시간을 쓰지 않는 것 같다. 하지만, 일반 고객들은 구분이 어렵다. 조금 더 편견 없는 넓은 시야를 통해 팔로워(구독자)가 업체의 성실함, 책임감까지 알려주는 건 아니라는 걸 생각해 보자.

확실한 건 존재한다.

마케팅과 공사 숙련도 수준은 비례하지 않는 걸

마케팅의 변화를 소비자도 알아야 한다.

20년 전에는 지인 소개와 집 근처 간판을 보고, 고객이 직접 찾아가는 시스템에서 현재는 실시간에 가까운 업로드로 소통과 마케팅에 집중하고 있다. 사진과 글을 기반으로 운영하던 블로그 및 카페에서 → SNS로 옮겨가던 마케팅은 영상을 메인으로 하는 유튜브까지 번져 나갔다. 공개를 꺼리던 고객들마저 '프라이버시' 편견에서 조금씩 벗어나는 듯하다.

인테리어를 접하는 채널도 다양해졌다. 반대로 이야기하자면 폭이 넓어진 만큼 선택을 하기도 어려워졌다는 게 현실이다. 그렇다면 우리는 어떤 채널을 신뢰해야 하는 걸까?

✓ 인스타그램 및 SNS 팔로워 수가 많다면 잘 하는 곳일까? NO

최근 팔로워 수는 충분히 돈을 내고 살 수 있으며, 인스타그램 광고를 한다면 '좋아요 와 팔로워'를 원하는 만큼 늘리는 게 가능하다. 보이는 숫자만 보고 판단하기엔 무리가 있다.

✓ 네이버 블로그와 카페 상위 노출 업체? NO

마케팅 업체와 광고비를 쓴다면 상위 노출은 쉽다. 특히 포털사이트라는 특성상 일반인은 모르는 로직이 존재한다. 로직만 잘 알고 운영한다면 상위 노출이 가능하다. 즉, 많은 사람의 관심을 받는 좋은 글이 아니란 이야기다.

✓ 대표자 얼굴까지 노출하며, 영상으로 집을 볼 수 있는 유튜브? NO

최근 들어 가장 신뢰를 얻고 있는 채널 하면 유튜브이다. 폭발적인 인기를 끌고 있는 매체로 20대~60, 70대까지 다양한 연령층이 모두 시청하는 곳이다. 강한 믿음을 보이는 이유는 간단했다. '얼굴을 노출하고 운영하는데 무슨 문제를 만들겠어?' 강한 신뢰를 가지는 사람이 많다. 하지만, 문제가 생기는 일은 얼굴 노출과 아무런 관계가 없다.

TV 매체에 나오는 사람들도 불미스러운 문제를 일으킨다. 하물며 연예인들도 말이다. 그런데, 개인 채널 운영자가 대단한 사명감을 가지고 임하는 것이 아니다. 사진에서 영상으로 마케팅 변화가 일어났고, 사용자들이 몰리는 유튜브로 그저 홍보를 옮겼을 뿐이다. 자세히 생각해 보면 간단하다.

유튜브에 #인테리어를 검색해 보자. 10년/20년 이상 커리어를 지키며, 오랜 시간 동안 운영해 오는 업체들 중 유튜브를 하지 않는 경우가 많다. 영상이라는 특수성으로 인해 아직 이 업계에서도 섭사리 도전하지 못하는 홍보 채널이기 때문이다. 지금 유튜브에 운영하는 모든 업체의 신뢰도와 공사 숙련도를 유튜브에서 보장해 주는 것이 아니다. 단순 홍보 매체로 보아야 올바른 판단력을 가질 것이다. 중요한 사항은 어느 곳이든 수요가 몰린다면 문제가 발생한다.

벌써 간접적으로 이야기가 벌써 들려오고 있다. 그 문제가 수면 위로 올라올 때면 내가 피해자가 되어 있을 가능성이 높다.

홍보 매체가 나쁘다는 말이 아니다.

다양한 채널을 통해 마음에 드는 업체를 찾았다면 모든 채널을 통해 검색해야 한다. 한결같은 평가와 꾸준한 작업물이 있는지 등 모든 매체를 활용해 정보를 수집하는 게 현명하다.

유튜브, 인스타그램, 블로그 등 여러 매체에 보이는 것만을 믿지 말자. 그저 나에게 정보를 제공해 주는 창구 정도로만 생각해야 위험성이 줄어든다.

* 실제 광고 작업 홍보 글

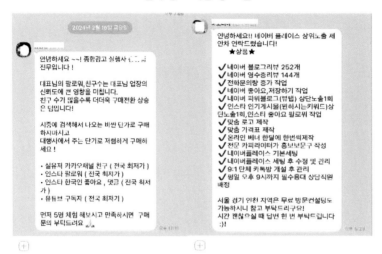

그렇다면,

무엇을 믿어야 한다는 말일까?

정답은

매체를 믿지 말고, 정보를 수집하라.

온라인 속 정보는 위험하다

실무와 이론 충돌

인테리어 공사 이론과 실무는 딱 이것과 비유하면 똑같다. 바로 운전면허 시험이다. 운전면허 시험은 1차 필기, 2차 실기, 도로 주행으로 나뉘어 있고, 필기는 쉽게 합격할 만큼 그리 어려운 영역은 아니다.

실제 자동차를 운전할 때 필기시험을 본 문제 내용을 생각하며, 운전 하는 사람은 많지 않다. 대신 실기는 이야기가 달라 진다. 운전은 바로 주행! 즉, 실기가 중요하다는 건 누구나 아는 이야기다. 인테리어 공사도 운전면허 실기시험과 비슷하다.

우리가 알고 있는 시공 방법은 '이론' 상 결과를 조합한 중간 값이라고 보면 이해하기 쉽다.

조금 더 이해하기 쉬운 간단한 상황으로 이야기한다면 **욕실 누수로 방수**는 방수층이 깨지기 시작하는 '**오래된 욕실**'에나 하는 것이라는 이론이 있다. 그런데, 연차가 2년 밖에 안된 욕실도 누수가 발생한다. 이러하듯 생각과 다른 많은 일들이 일어나고 있다.

이론과 다른 변수가 생긴다면 우리는 어떻게 대처해야 하는 걸까? 고객은 전문가가 아니기 때문에 모든 상황을 대비하고 있을 필요는 없다. 합당한 비용을 지불하고, 전문 업체에 의뢰하는 것이다. 돈으로도 살 수 없는 경험(실전)은 업체에 필요한 덕목이다. 현장은 이론대로만 흘러가지 않기 때문에 업체는 실패와 성공을 겪으며 터득한다.

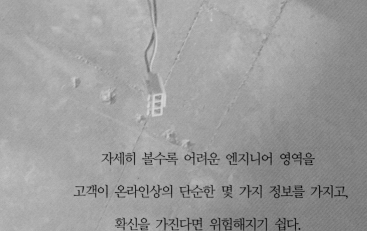

자세히 볼수록 어려운 엔지니어 영역을

고객이 온라인상의 단순한 몇 가지 정보를 가지고,

확신을 가진다면 위험해지기 쉽다.

우리집은 사진처럼 될 수 없다?

기대가 실망으로 바뀌는 순간

사람은 경험해 보지 않은 영역에서는 확신을 품을 수 없다. 인테리어도 마찬가지로 완성 작을 보기 전까지 확신을 할 수 없어 시공 사례가 곧 데이터이자 중요한 수단이다. 그러다 보니 사진 속 집들처럼 우리 집도 가능할 거라는 막연한 생각이 곧 강한 믿음이 되기도 한다.

결론부터 말하면 **현실과 이상은 다르다.** 무형물(無形物)로 시작하는 공사는 이미지 트레이닝을 위해서라도 시공 사례를 참고하는 건 필수 조건 중 하나인데 사진이 '현실과 실망'이라는 두 가지의 벽에 부딪히게 한다는데 무슨 말일까?

많은 사람들에게 인테리어 관심도가 높아져 검색만 해도 수많은 인테리어 이미지가 보인다. 인식도 많이 바뀌고, 새로운 디자인에 도전하는 사람도 많아지고 있다. 그만큼 한국의 인테리어 분야가 성장하고 있음을 몸으로 느껴진다.

한편으로 고객을 만나며 걱정이 생겼다. 고객들은 해외 이미지 및 국내 사진을 보여주며, 설렘으로 가득한 목소리로 이야기한다.

"우리 집도 이렇게 하고 싶어요" 당연히 디자이너 입장에서는 고객 취향을 단번에 알 수 있는 좋은 수단이라 **"저장해둔 사진 있으시면 더 보여주세요"** 이야기한다.

작업하고 현실을 매일 마주하는 디자이너들은 사진을 참고하지만, 완성품을 경험해 보지 못한 고객 입장에서는 지금 내가 보고 있는 '사진처럼' 될 거라고 믿는다. (단, 여러 번 공사를 경험해 본 사람들은 사진은 참고하기 위한 자료로 구분을 하는 능력도 생긴다)

여기서, 실망감이란? 실제 집과 달라서 오는 걸까? NO! 공사 시작 전부터 실망감을 느끼게 된다.

· **첫째,** 사진 속 집들은 평수, 천정 높이, 구조도 다르다는 것.

· **둘째,** 중요한 비용도 나와 맞지 않는 비현실.

만약 여유로운 예산과 공사 기간이 있다면 해외 이미지들처럼 가능하지만, 맹목적으로 '사진만' 믿는다면 생각과 다른 결과물에 실망하게 되며, 그로 인해 좋은 부분들마저 보이지 않게 된다.

높은 기대감은 곧 실망으로 변하기에…

유행하는 디자인을 따라하면 실패하지 않는다?

유행에 민감한 사람 나야 나

인테리어 시장에 10년 이상을 있다 보니 이곳도 유행이 돌고 돈 다라는 걸 알게 되었다. 10년 전에는 우드 마감재를 없애는 인테리어를 선호했다면,

현재는 화이트&우드로 꾸민 집이 유행인 걸 보면 유행은 다시 제자리로 돌아와 있었다. 여기서 한번 생각해 보자.

15년 이상된 아파트들 내부는 칙칙한 체리 색 마감재와 붉은색 마루바닥으로 되어있어 몇 년 된 아파트라고 말하지 않아도 '아 10년 이상은 됐겠구나' 알 수 있다.

2015년, 34평 아파트에 회색 도장 벽지와 우드(나무)질감이 돋보이는 필름과
원목소재를 이용하여 모던한 컨셉으로 작업했던 현장입니다.

2022년, 60평대 아파트에 화이트 벽지와 우드(나무) 질감이 돋보이는
필름을 이용하여 모던한 컨셉으로 작업했던 현장입니다.

요즘 지어지는 신축(새) 아파트들도 실내디자인을 보면 요즘 지어진 아파트 라는 게 금세 드러난다. 반대로 생각해 보면 요즘 많이 보이는 무(無) 몰딩 (천장마감재) 화이트&우드 인테리어도 시간이 지나면 그 시대를 대표하는 디자인이 된다는 말이다. 아무리 잘 관리를 해도 디자인만으로 '오래된' 한 옛날 컨셉(concept)이 된다는 것이다.

한가지 눈여겨 볼 공통점도 있다.

1. 10년 전 한남동 고급빌라 내부 사진입니다.

2. 2022년 원목 마루와 무 몰딩 시공을 한 현장 내부 사진입니다.

1.사진은 2013년 준공된 용산구 한남동 빌라 내부 모습과 2.현재 많이 볼 수 있는 디자인이다. 위 두 사진은 화질만 다를 뿐 비슷한 모습이다. 10년 전부터 유행하던 스타일이 그저 돌고 돌아 다시 수면 위로 올라온 건 아닐지 생각해 볼 만하다.

옆집과 우리 집은 똑같다

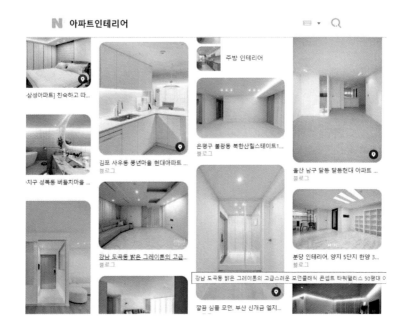

〈#아파트 인테리어〉를 검색하면 피로감이 쌓일 만큼 비슷한 스타일 집들이 쏟아져 나오지만, 유행에 뒤처지는 건 싫은 마음에 최신 유행인 것 같은 사진을 모아서 공사를 한다.

이때, 비슷한 시기에 옆집도 공사를 했다. 공사가 끝난 후 구경을 가 보니 '왜 옆집과 우리 집이 비슷한 거지?' 그렇다면 옆집 이웃 주민분과 내가 같은 취향인 걸까? 공사를 끝내고 보면 주변에서 이런 말을 한다. '깔끔하네~, 요즘 스타일로 잘했네' 등 신선한 반응보단 예상할 수 있는 반응이 나온다. 그 이유는 사람들도 어디선가 한 번쯤 봤던 익숙한 집이기 때문이다. 눈에 익숙한 컨셉(concept)은 예뻐 보인다. 반대로 지금 유행과 다르게 한다는 건 도전이자, 주변 의식이 되는 게 사실이다.

다들 하는 걸 하지 않는다는 게 센스없는(촌스러운) 사람이 된 듯 할 것이다. 그런데, 2023년 가장 많이 언급되던 올드머니 패션처럼, 유행은 돌고 돌아 다시 제자리를 찾아온다. 촌스럽다는 단어가 붙는 건 시간문제인 것을 당장 현재만 생각하는 건 맞는 일인지 생각해 볼 필요가 있다.

주변 지인은 1년에 한 번, 아니 안 올지도 모른다. 한 번의 평가를 의식해 내가 원하는 라이프스타일도 들어가 있지 않은 집을 만든다는 건 안타깝다.

나의 취향
&
가족 취향

삶의 질을 올릴 수 있는 집에서
매일 안온한 생활을 꿈꾸는 게

행복하지 않을까?

"

Chapter. 2
인테리어업계 간파하기

"

인테리어 비용 줄일 수 있는 이유

장바구니에 담은 물건들 덜어내기

정해진 예산 내에서 필요한 품목을 정리해 가며 아무리 계산기를 두드려 보아도 예산을 벗어나는 상황의 연속이다. 시작 전에는 다짐한다. "너무 욕심내지 말자" 하지만 한번 올라간 눈은 내려올 생각 않고, 그래도 최대한 눈높이를 낮춰 여러 업체에 견적서를 받아본다. 며칠 후 메일 수신함에는 견적서들이 있고, 설렘 반 불안 반 마음으로 메일을 열어본다. 역시나 나의 예상과는 다르게 견적이 올라가 있는 게 아닌가?!

자리를 잡고 하나씩 줄일 수 있는 걸 체크해 보지만 도대체 무엇을 줄일수 있는지 감이 오지 않아 고민의 밤을 보내고 있다는 평범한 이야기, 견적을 보자마자 아무 고민 없이 진행하는 경우는 드물다. 누구에게나 정해 둔예산은 존재하고, 더하고 빼는 건 소비자 권리이다.

그런데! 더하기는 간단하고, 빼기는 왜 이리 어려운 걸까?!

작은 나사 하나부터 큰 목재까지 단가를 다 알고 있는 관련자도 사실 계산이 쉽지 않은 게 견적이다. 집을 완성하기 위한 수십 가지 건축자재와 공정을 단시간에 계산해 내기란 어렵다.

나만 하더라도 견적서를 작성하는데 평균 3일 이상 걸리는 경우가 많을만큼 복잡하다. 시작과 끝을 다 그린 후 작은 장갑 하나 세세한 작업까지 계산해야 하는 견적서를 받고, 고객이 줄이고 더하는 건 당연히 어려운 일이다. 어려운 계산법을 가지고 있다고 해도 모든 견적은 고객 요청부터 시작되기 때문에 원하는 자재와 시공 방법 등 니즈에 따라서 당연히 줄일 수 있다.

천원 단위, 만원 단위까지의 세세한 조절은 어렵지만, [chapter3. 비용을 줄이는 방법은-121p]에서 확인 가능하다.

견 적 서

귀 하			상호명				
현장명			등록번호				
연락처			연락처				
견적일자			주 소				

아래와 같이 견적합니다	공급가액	일금	₩			만단위이하 절사 / 부가세 별도	

NO	구 분	내 용	단위	수량	단 가	금 액	비 고
1	철거공사						
	계					0	
2	창호공사						
	계					0	
3	전기공사						
	계					0	
4	시스템에어컨						
	계					0	
5	목공사						
	계					0	
6	필름공사						
	계					0	
7	도장공사						
	계					0	
8	도배공사						
	계					0	
9	바닥재						
	계					0	
10	타일공사						
	계					0	
11	욕실공사						
	계					0	
12	가구공사						
	계					0	
13	기타공사						
	계					0	
	합 계					0	
	총 합 계						

(sample) 예시 입니다.

업체마다 견적서 금액 차이 나는 진짜 이유

귀에 걸면 귀걸이, 코에 걸면 코걸이

남대문 시장에서 흥정(할인)은 필수이고. 정찰제인 백화점, 명품 매장은 흥정(할인)이란 없다. 각 장소에 맞게 우리는 행동한다. 그렇다면 인테리어 시장은 어떠한가? 남대문처럼 할인이 가능하기도 하고, 명품 매장처럼 할인이 불가능한 경우도 있다. 이 무슨 귀에 걸면 귀걸이, 코에 걸면 코걸이 같은 소리인지 알아보자.

인테리어는 무형물(無形物)에서 시작해 A~Z까지 선택에 의해 유형물(有形物)을 만들어 낸다. 결과물이 완성되기 전에는 성공 or 실패를 논할 수 없고, 선택에 따라 결과물이 달라지는 일에 정확한 가격을 사전에 책정할 수 있을까? 여기까지가 업체 입장이다.

그러나, 고객 입장은 다르다. AI처럼 같은 이야기를 했음에도 불구하고 업체들은 금액이 다 다른 견적서를 보내오는지 이해가 되지 않는다.

'무형물(無形物) → 유형물(有形物)을 만들기 위한
건축자재와 시공 방법은 다 똑같은 게 아닌가?'

물론 차이가 나는 이유도 알고 있다. **회사(업체) 이윤 차이도 인정! 소소한 비용 차이 인정!** 회사의 운영 방식이 있다고 해도 오차 범위 안에 견적이 나와야 하는 게 아닌가?! 금액이 뻥튀기처럼 백만원 대부터 크게는 천만 원 단위 이상 차이가 발생하는 이유로 신뢰성이 떨어지는 게 고객 입장이다.

숫자에서 벗어나야 보인다

뻔한 회사 이윤 차이? 회사 이윤도 평준화가 되어가고 있어 이걸로는 명확하게 답을 찾을 수 없다. 답은 간단한 듯 어렵지만 3가지로 나누어 보자.

(1) 대표자 성향

(2) 주요 공사 방향성

(3) 주요 고객층

※ 계약 수주를 받기 위해 **상식을 벗어난 저렴한 견적서**를 보내오는 **업체** 경우는 해당 없음

(1) 대표자 성향

성향은 어디서든 설명이 가능한 마법 단어다. '성향(성격)이 다 다르다.' 말은 견적에도 적용된다.

A 대표	B 대표
"처음 작성한 견적이 곧 마지막" 견적 변경이란 없다. 마인드를 가진 대표 타이트한 견적서 작성 **(미팅을 토대로 추가 금액이 최대한 발생하지 않게 작성)**	"견적 비용 '업(up)·다운(down)은 고객들 선택" 견적 변경이란 수시로 있다. 마인드를 가진 대표 **(금액적으로 유연한 견적서를 작성)**

대화를 통해 어떤 성향을 보인 사람인지를 파악하는 게 좋다. 더 중요한 건 자신도 어떤 마인드를 가진 사람인지를 알아야 한다.

(2) **주요 공사 가치/방향성** - 주방가구(싱크대)를 예시로 보는 공사방향성

A 업체	B 업체
주방가구 (싱크대)는 **내부, 외부 모두** 좋은 하드웨어,문짝(도어) 기능과 **보이는 면까지 전부 투자**할 가치가 있다.	주방가구(싱크대)는 내부 및 하드웨어는 안 보이는 곳인 만큼 합리적 제품으로 대체 하고, **보이는 곳만 투자할 가치**가 있다. (예, 문짝(도어))

　물론, 중점으로 잡고 있는 가치라고 해도 당연히 기본은 고객 니즈에 따라 달라질 수 있지만 뿌리 깊게 자리하고 있는 공사 방향성 자체는 바뀌기 어렵다.

어디에 중요도를 놓고 있는 업체인지 메모로 남겨놓으면 견적서를 받았을 때 이해가 쉬울 것이다.

　(3) 주요 고객층 – 계약 지역 및 고객층

A 업체	B 업체
수입(미국, 유럽) 제품과 **퀄리티, 고급 브랜드에 중점**을 둔 고객층이 많다면 견적서 기준 또한 그에 맞춘다.	가성비 있는 제품으로 **실용적인 면에 중점**을 둔 고객이 많다면 최소화된 금액에 맞춘다.

　주 고객층이 다른 업체의 견적 산출 방식이 다르다.

(예시) 바닥마감은 '원목마루'로 하고 싶다는(고객) 이야기에 **A 업체** 경우는 수입 (미국, 유럽) 고가 원목 기준으로 견적 산출할 것이고, **B 업체** 경우는 가성비 좋은 국내산 또는 수입(중국, 러시아) 저가 원목 제품을 우선으로 견적서를 산출할 테니 말이다.

상담 중에 보여주는 포트폴리오(시공 사례 사진)는 그들이 주로 사용하는 자재를 사용한 시공사례로 보여준다. 만약, 주로 가성비 인테리어를 추구해왔다면, 본인이 주로 시공하는 자재를 바탕으로 견적 산출할 것이다. 견적서 오차(±) 범위가 크다고 해서 모든 게 업체 이윤으로 돌아가는 건 아니다. *(물론 이윤 계산 능력치가 뛰어난 업체가 있을 수도…?)

업체 선정전에 어떤 자재와 시공방식을 추구하는지 미리 파악해 놓으면 견적서를 받아 본 후 혼란스러움을 없앨 수 있다.

단순히 '**비싸 보이는 업체와 저렴해 보이는 업체**'로 나누기보다는 내가 원하는 업체 특성부터 파악하고, 견적을 받는다면 견적이 차이 나는 이유가 비로소 보이게 된다.

나는 'A가 맞다' 생각하는지

나는 'B가 맞다' 생각하는지

나와 맞는

업체의 성향, 방향성을 결정하려면

먼저 나를 알아야 한다.

추가 금액이 발생하는 현실적이유

변수는 생각하지 못한 일에서 일어난다

인테리어 준비한다면 마음 한구석에 걸리는 게 있다. 바로〈추가금〉돌발적으로 발생할 수 있다는 불안감이 몰아친다. 추가 금액이란, 계약서에 표기된 금액 이외에 추가로 고객에게 청구되는 금액으로 현장 10곳을 진행하다 보면 9곳에서 추가 금액이 발생한다. 왜일까?

사람들은 공사 예산을 타이트하게 잡지 않는다. 만약에 3,000만 원 견적서를 받는다 해도 혹시 모를 상황에 대비해 추가예산을 준비해 놓는 게 일반적이다. 준비는 미리 해두지만, 추가 금액을 내고 싶은 사람은 없다. 그렇다면 추가 금액이 어떤 경우에 발생하는지 자세히 알아보자.

1. 공사 수주를 위해 저렴한 견적서를 작성하는 업체

공사를 여러 번 해본 사람들이 견적서를 걸러내는 몇 가지 중 하나로 타견적서 대비 현저히 저렴하거나 비쌀 경우를 제외한다. 중간값에 비해 너무 저렴하다면 추가 금액이 발생할 확률이 높아진다. 지금 보여주는 견적서에 적힌 금액이 너무 착해 보여 '혹시 정말 이윤을 훨씬 적게 남기는 게 아닐까?" 하는 생각이 들 수도 있지만, 이윤 차이만으로 몇백, 몇천만 원 차이가 발생하는 건 현실적으로 어렵다.

업체가 노무비 및 운영비를 포함하여 측정한 전체 공사비에 10%~15%정도 이윤율을 잡는다. 만약, 5,000만원 공사라면 500만 원~700만 원 내외로 업체 이윤이 남는다고 볼 수 있는데, 노(NO)마진 정도의 견적 금액 차이가 난다면 자선사업가가 아닌 이상 정상인 견적서로는 볼 수 없다. 알고 있는 시세 대비 터무니없는 저렴한 견적서를 작성하고, 계약을 최우선으로 진행한다. 그 이후, 공사를 진행하면서 모자란 공사비용과 이윤을 위해 추가금을 계속 발생시키는 경우가 생각보다도 많이 발생하고 있다.

2. 현장의 변수

FM 방식으로 운영하는 업체라면 정확한 견적서는 실측 후에 보내 준다고 한다. 현장 컨디션과 크기를 모르는 상황에서 작성하는 견적서는 '예상 금액' 일 뿐이기에 실측을 통해 가격이 측정되는 것이 일반적이다.

하지만, 실측에서 또는 공사 철거 중에도 추가금이 발생할 수 있다는 걸 기억해야 한다. 실측 중 사이즈 실수, 미처 보지 못한 공간 때문에 변수가 생긴다.

① 실측 실수에 변수란 흔히 싱크대 및 신발장 등 가구 사이즈 오차에 따라 금액 변동이 생긴다. 특히 가구 파트는 사이즈에 따라서 금액 측정하는데 이 사이즈 실수로 금액이 올라가기도 한다. 하지만 공사가 시작 후 알게 되기 때문에 업체는 실수를 인정해 추가금을 요구하지 않지만, 간혹 변동 사항은 있을 수 있다고 계약 시 명시하는 업체 측에선 사이즈 변동에 대해 추가 금액을 요청하기도 한다.

② 미처 확인 못한 누락된 공간 발생, 누수 및 다양한 일이다. 실측할 때 빈집인 경우에는 모든 공간이 쉽게 확인 가능하지만, 대부분 거주자가 있는 상황에서 실측하는 경우가 많은데 가구로 채워져 있는 집을 구석구석 보기란 어렵다. 자세히 볼 수 없었던 공간에서 누수가 발생하였거나 생각하지 못했던 변수가 생기는 일이 종종 있다.

변수는 공사 시작과 동시에 발생할 수 있는데, 한 가지 예로, 샤시가 고장난 경우라면 사전에 미리 모든 창 확인은 힘들다. 매매 시 매도자에게 확인 정도만 하는 게 일반적으로 기본 마감재에 문제는 업체 잘못이라고 보기 어렵다. 고객도 수긍할 수 있는 추가 금액이 발생하기도 한다.

3. 자재 등급 올리는 업체

처음 견적서를 합의할 땐 바닥 마감을 강마루 기준으로 계약했다고 보자. 그 후 마루를 골라야 하는 시기에 견적보다 높은 금액의 원목마루를 함께 보여주며, 자연스레 등급 올리길 유도하기도 한다. 원목마루로 자재 등급이 올라간다면 당연히 추가금이 발생한다. 여러 가지 자재를 골라야 하는데 모든 자재 등급을 조금씩 올린다면 큰 금액이 된다.

4. 고객이 스스로 추가를 외치는 경우

업체와 계약을 하면 많은 고객들 스스로 추가 금액을 발생시킨다. 겪어보지 않은 사람은 이해하기 힘들 수 있지만, 많은 고객은 "막상 공사를 시작하고 나니 욕심이 생기네요. 어차피 하는 거 해주세요"라는 이야기를 많이 한다. 처음 시작할 땐 어렵고, 금액에 대한 압박 때문에 업그레이드가 가능하다는 걸 미처 생각하지 못하지만, 상상하던 형태를 하나씩 눈으로 확인해 나가면서 생각이 달라지는 경우가 흔하게 생긴다.

수많은 예시가 있지만 몇 가지 추려보자면,

- 거실 벽에 TV만 설치하려고 했지만, 공사하는 김에 TV 월도 예쁘게 꾸미고 싶어요.
- 예쁘게 인테리어를 하고 들어올 건데 짐들이 널브러져 있는 건 좀…붙박이장 추가해 주세요.
- 바닥은 강마루라도 충분했는데 넓은 면적인 바닥도 중요하니 원목마루로 자재 등급을 올리고 싶어요.
- 싱크대 상판은 인조대리석으로 가성비에 맞게 선택했지만, 오랫동안 쓰는 제품인데 세라믹으로 하고 싶어요.

예상하고 있던 범주 안에서 발생하는 추가금은 수용이 가능하지만 예산을 벗어나 계속되는 추가 금액은 감정과 재정도 힘들어진다. 미리 공부하고 대비한다면 어느 정도 예상할 수도 있다.

※ 단, ⟨1. 공사 수주를 위해 저렴한 견적서를 작성하는 업체⟩ 경우는 예외.

(부분 공사 전 바닥, 벽 보양 사진)

부분 인테리어가 어려운 이유

합리적이긴 하지만…

햇살이 쏟아지는 여유로운 오후. 햇살에 비치는 거실을 바라보니 누렇게 색 바랜 벽지가 눈에 들어왔다. 집에서 생활하였는지도 어느새 5년 이상 지났다. 천천히 돌아보니 세월의 흔적이 여기저기 보였다. '색 바랜 벽지와 틀어진 싱크대 문짝 등 조금씩 손봐야 할 때가 되었다.' 생각이 들어서 부분으로 인테리어를 하겠다 마음먹고, 업체에 전화를 해보았다.

부분이라는 이야기를 꺼내자 다양한 이유를 대며 〈공사 거부〉하는 것이 아닌가. 도대체 부분인테리어를 왜 기피하는 거지? 공사문의 전화를 받으면 10명 중 3명은 부분인테리어에 대해 의뢰를 한다. 나 역시도 살면서 불편하고, 파손된 곳만 공사를 하는 건 합리적이라 생각이 된다.

그런데, 합리적이란 건 고객 입장이라는 걸 여러 업체에 전화를 해보면 쉽게 알 수 있는데 그만큼 부분 인테리어를 해주는 업체 찾기란 여간 어려운 일이 아니다.

도대체 업체들은 왜 부분 인테리어를 거부하는 것일까?

고객 입장에선 단순 공사 금액이 적으니 이익률도 낮아져 거부한다 생각하지만, 업체 속사정은 다르다. 물론 큰 금액대에 공사라면 이익률도 높아지기 때문에 더 선호하는 것은 사실이나 반대로 부분공사는 공사 기간도 짧기 때문에 이익률 면에서는 별반 다를 게 없다. 그렇다면 왜 부분 공사를 선호하지 않는지 알아보자!

첫째, 보양을 많이 해야 한다. (파손에 대한 리스크)

바닥만 살리고 공사를 한다고 생각해 보면 바닥을 꼼꼼히 보양하고, 공사 중 스크래치나 파손이 일어나지 않도록 조심하며 공사를 해야 한다. 그러나 사람이 하는 일엔 완벽이란 없듯이 보양재를 걷어내고 보면 파손이 생기는 일이 빈번히 생기는데 공사 전부터 마감까지 신경 쓸 일이 두 배가 되기 때문에 선호하지 않는 이유 중 하나이다.

둘째, 단일 공정은 턴키 업체(계약 후 시작부터 끝까지 전체 인테리어 작업을 맡기는 걸 의미)에서 할 일이 딱히 없다는 것이다.

흔히 단일 공사로 목공작업도 필요 없이 살고 있는 집에도 가능한 필름(리폼)또는 도배, 가구만 교체 등 단일 공정을 의뢰하는 경우도 많은데, 이익률과 더불어 감리 감독과 디자인 설계를 하는 턴키 업체는 할 일이 적기 때문에 선호하지 않는다. 인터넷 커뮤니티(카페)등… 작업자를 섭외해 단일 시공만 맡기는 게 더 효율적이다.

셋째, 마감 만족도가 떨어진다.

업체마다 조금씩 다를 순 있지만 전체 인테리어보다 부분공사를 통해 얻어지는 만족감이 떨어지는 게 사실이다. 단순하게 이익 때문만으로 보기엔 복합적인 이유로 부분공사를 진행하려 하지 않는다.

천장 작업을 위한 벽, 바닥 보양한 상태의 모습입니다.

반셀프vs턴키 다 불안한 이유

★ 반 셀프: 고객이 공정별 작업자를 섭외한 후 직접 현장 감리 감독을 하는 일.

★ 턴 키: 모든 공정 및 사후 a/s까지 업체에 위임하는 것.

집중과 선택이 중요한 시점

반 셀프란? 말 그대로 반(半)만 하는 셀프를 뜻한다. 모든 작업은 기술자들이 하고 현장 관련 스케줄 및 감리, 지시까지 고객이 직접하므로 감리 감독, 디자인 설계비용이 제외되어 공사 금액을 줄이자는 취지로 시작한 게 '반 셀프' 이다.

경제 성장을 이루던 1980년대부터 지어진 아파트는 이제 노후화된 구축이 되었고, 부동산 투자 욕망이 만들어 낸 신축 아파트도 우후죽순 생겨나기 시작했다. 하지만 새로 지어진 아파트도 하나같이 똑같은 내부 모습 때문에 입주자들은 식상 해하며, 인테리어에 관심을 가지기 시작했다.

노후화된 구축은 당연히 리모델링이 필수가 되고, 여기에 2020년 팬데믹(pandemic)이 불러온〈집콕〉열풍까지 더해 인테리어 붐이 일어났다. 하지만, 인기를 끌면서 단점도 부각이 되었다.

인테리어에서 최고 단점을 뽑으라면 단연 **높은 비용**이다. 물론 부동산의 재산 가치가 크기 때문에, 부동산과 맞는 공사로 비용도 높은 건 어쩔 수 없지만 그래도 단점은 확실했다. 빠듯한 공사 예산 때문에 합리적인 소비를 하고 싶은 사람들이 움직이기 시작한 게 바로 '반셀프' 이다.

반 셀프 절약 포인트는 **업체 이윤**이다. 공사비용의 10~15% 내외로 이윤을 측정하는데, 업체 이윤을 없앨 수 있고, 공사 비용의 많게는 30%까지도 절약할 수 있다고 들 계산을 한다. 업체 일을 고객이 직접 하기 때문에 공사 비용을 줄일 수 있지만, 여기에 숨겨진 위험성도 존재한다.

바로 '디자인 실종과 전문가의 감리 감독 부재' 일 것이다.

공간 능력을 살려 레이아웃과 디자인 제안을 하고, 자재를 추천하는 디자이너 부재는 사실상 미적 요소는 기대하기란 어렵다. 물론, 미적 감각이 있거나, 전공을 했다면 다를 수 있지만 공사와 디자인은 연결성이 강하기 때문에 머리로 상상하는 디자인을 실제 현장에 풀어내기란 어렵다. 그리고 **중요한 감리, 감독 부재가 제일 큰 위험성**이다.

각 공정이 시작하기 전 직접 자재를 준비하고, 면적에 맞는 발주, 공정마다의 기술자도 직접 섭외해야 한다. 사전에 기술력 확인을 하기 란 어려울 뿐만 아니라 이 기술자들에게 1cm가 아닌 1mm 단위로 섬세한 지시가 필요한데 여기부터 고충이 시작된다.

목공, 타일, 필름 등 공정 순서대로 시공자가 알아서 할 거라 생각하지만 현실은 전혀 그렇지 않다. 마감을 어떻게 할 것인지 다음 공정을 위해 비워둘지 채울지 등 하나부터 열까지 지시가 필요하고, 다음 공정을 생각하며 기술자들과 마감해야 하는 감독관 역할을 본인이 하는 건 전문성이 필요하다. 책임자 역할까지 본인이 가능한지 파악한 후 반 셀프를 도전해야 한다.

① 시간 여유가 있는 가

평일 아침 9시~5시까지 현장은 쉴 새 없이 돌아간다. 변수가 수시로 일어날 수 있고, 작업지시를 하기 위해 공사하는 동안 현장에 매일 출근해야 한다.

② 공사 지식이 있는 가

순서에 맞는 모든 공정을 해 나갈 수 있는 지식과 기술자들과 원활한 소통을 위한 경험 또는 지식이 있어야 한다.

③ 주변에 의견을 물어볼 전문가가 있는 가

공사를 진행하다 보면 변수가 생긴다. 그 변수에 대해 견해를 얻을 사람 한 명 이상은 있어야 한다.

④ 사후 A/S까지 본인이 직접 할 수 있는 가

기술자는 날 일로 일하는 일용직이 많다. 그러므로 사후 A/S까지 책임져 주지 않음으로 입주 후 사소한 A/S까지 본인이 직접 해야 한다.

반 셀프 또는 셀프 인테리어가 유행하기 전에는 당연히 업체에 맡겨야 하는 시대가 있었다. 레이저 시술을 받으려면 피부과를 가야 했지만 요즘은 홈 케어 피부미용 기계들이 많이 생겨나면서 병원보다 저렴한 가격으로 집에서 셀프로 피부를 관리하는 사람들이 많아졌듯이 비슷한 상황이라고 생각된다.

하지만, 바쁜 현대사회인 만큼 시간 부족과 전문성을 지지하는 사람들은 여전히 업체를 찾는 것으로 모든 현장 지시를 위임하고 사후관리까지 책임지면서 그에 맞는 비용을 지불하고 사람을 채용한다는 의미이다. '그에 맞는 비용 지급' 이라는 말이 중요한 사항으로 그에 맞는 일을 하지 않는 업체들이 있어 문제가 발생한다.

돈은 지불했지만 책임 전가를 하는가 하며, A/S도 모른척하는 턴키 업체들이 있어 "돈 내고 스트레스받을 바엔 직접 한다!" 반 셀프가 생겨난 것일지도 모른다.

비용 줄이는 일에 초점을 맞춰 반 셀프를 한다 해도 전문지식이 부족한 상태에서 작업자들과 소통이 될까? 나중에 A/S는 누구에게 요청해야 할까? 고민해 봐야 할 점이다. 불확실성을 두고 불안한 마음은 턴키도 반셀프도 마찬가지로 내 성향은 어떠한 지 내가 추구하는 게 무엇인지 먼저 파악한 다면 불안감을 잡을 수 있다.

결론은!

반셀프도, 턴키도

불안한 이유는

결과물에 대한 불확실성이다.

A/S 당당하게 요구가 어려운 이유

모호한 기준

A/S 기간은 공사 마감일로부터 1년을 명시하고, A/S 요청하면 유상인지, 무상인지 확인 후 담당자가 방문하는데 처리는 사람이 한다. 사람이 하는 일에는 100%는 없다는 말을 실감할 수 있는 세계가 바로 인테리어 시장인 것 같다. 인테리어도 기계로 찍어낸 완성품이라면 하자 발생이 적을 텐데, 현실에선 불편해지는 상황이 생기는 이유가 바로 하자 발생에 따른 A/S 요청이다.

A/S는 업체 측 의무인데 무엇 때문에 불편한 상황이 생긴다는 걸까? 이유는 확실한 하자 기준이 부족하기 때문이다. 공산품은 나름 기준이 정확해 교환과 환불이 가능하지만, 수제품은 100개를 만들어도 같을 수 없다는 걸 인지하고 구매한다. 인테리어 분야가 바로 수제품에 가까워 모든 처리는 조율 영역이다.

물론 고객 과실로 생긴 파손, 혹은 물이 새고 벽이 넘어가는 등 누가 봐도 확실하게 시공하자라면 협의가 필요 없지만, 일상생활에서 소소하게 일어나는 작은 수리는 애매 해진다.

만약, 벽지에 작은 얼룩이 있다고 한다면 어떤 고객은 하자로 인지하고 보수를 요청할 수도 있고, 다른 고객은 손으로 작업하는 벽지에 얼룩은 생길 수 있다고 생각하며 보수는 필요 없다 한다. 본인 기준에서 교체요청을 했지만, 업체 기준에는 이를 거부할 수도 있다. 수제품을 두고 기준 잡기란 어렵기 때문에 '**적절한 조율**'이 필요한 이유이다.

[chapter 3. A/S 요구 방법과 기준은 - 161p]**내용과 함께 고민해 보자.**

인테리어 지식을 쌓아야 하는 이유

건축 용어는 어렵다

얼마 전 부모님께서 건강검진 중 혈액 수치에 문제가 발견되었다. 그런데 정확히 이게 무슨 병을 말하는 건지 이해를 몰랐다. 의사 선생님은 분명 친절하게 설명해 주심에도 뒤돌아서면 다시 백지가 되는 듯했다. 계속 같은 질문을 하고 있다는 걸 느끼고 스스로 공부를 시작했다. 공부(?) 덕분인지 그 후론 치료 방향에 대해서 조금 수월하게 선생님과 대화할 수 있었다.

'내가 겪은 일과 수많은 고객이 느끼는 감정은 비슷하겠구나' 생각했다. 나는 한 가지 질병에 대한 것이지만, 공정만 해도 수십 가지가 넘는 인테리어 세계에선 얼마나 어렵겠는가!

수년간 공부를 해온 디자이너들처럼 지식을 쌓아야 한다고 이야기하는 게 아니다. 내가 원하는 니즈(needs)를 전달하고, 상대방 대화 핵심을 이해할 수 있을 만큼 인테리어 지식이 필요하다. 목공이 무엇인지, 설비는 무엇인지, 인테리어에서 자주 사용되는 단어들 등 간단한 대화를 할 수 있으면 된다.

공사는 정해진 시간 안에 완주해야 하는 달리기와 비슷하다. 시간과의 전쟁이라 봐도 무방한 곳에서 인테리어 관계자는 친절한 학원 선생님처럼 이해가 될 때까지 느긋이 기다려주지 않는다.

빠른 컨펌(결정)과 소통을 위해서 인테리어 지식은 필수다.

조금이라도 지식이 쌓이면,

공사가 잘 진행되는 게 한눈에 들어오는걸 느끼게 된다.

시간은 금이다

공사 기간이 늘어날수록 돈과 연결이 된다. 정해진 기한 안에 깔끔하게 마무리가 되어야 업체와 고객 모두에게 피해가 없다. 사람이 하는 일에는 늘 변수가 있기 마련이다. 변수는 어찌할 도리가 없지만 매일 작은 결정과 전달에 오류가 생겨 시간이 지체되는 일은 줄여야 한다.

(예시)로 철거에 대한 이야기를 살펴보자.

"저는 이 벽까지 다 철거하고 탁 트인 상태로 만들고 싶어요"(고객)

"고객님, 이 벽은 내력벽이라서 철거할 수가 없어요"(디자이너)

"내력벽이 뭘 까요?

　다른 벽은 철거가 가능한데, 왜 이 벽만 안되는 거예요?"(고객)

"내력벽이란 건물을 지탱하는 기둥이라고 생각하시면 되세요."

"내력벽을 없애는 건 건축법상 불법이에요."(디자이너)

설계에서 자주 언급되는 내력벽에 대해 시간을 소요했다. 시간이 있는 상태라면 충분히 의견을 나눌 수 있지만 빠른 결정이 필요한 상황이라면 어떨까? 설명해 줄 의무가 있는 디자이너도 상세한 설명이 힘들다. 단어조차 모르는 고객 또한 빠른 결정을 하기에는 어렵지 않겠는가, 공사를 진행하다 보면 정확한 전달과 결정(컨펌)의 연속이기 때문에 작은 지식이 필요하다.

스마트 컨슈머(consumer) 되기

우리는 살다 보면 작은 오해 하나가 큰 파장을 불러온다는 걸 한 번쯤은 경험해 봤을 것이다. 지식 쌓기와 오해는 무슨 관련이 있나 생각할 수도 있지만 어찌 보면 긴밀한 관계성이 있다.

가까운 관계일수록 말 한마디, 작은 행동에도 오해를 불러오기도 하고 가까울수록 더욱 행동을 조심해야 좋은 관계가 유지 가능하다.

그런데 생각보다 사소한 부분에서 업체와 사이가 틀어지는 경우가 많다는 걸 기억해야 한다. 물론 시작부터 잘못된 업체라면 좋은 관계란 있을 수 없지만, 트러블 없이 잘 진행이 되더라도 갑작스레 오해의 브레이크가 걸리는 경우가 있다. 오해의 브레이크란 무엇을 말하는 걸까?

차량 수리를 맡기는 상황으로 생각해 보자. 엔지니어가 생소한 단어로 고장 원인을 설명하면 딱 이게 무슨 말인가 싶다. 청구된 수리 비용을 보면 비싸다는 생각만 드는 이유는 한 가지다. '왜? 어떻게!'을 모르기 때문이다.

차에 대한 지식이 있는 사람은 본인이 최종 수리 범위를 결정하지만, 지식이 부족한 사람은 청구된 영수증을 보며 개운하지 않은 느낌이 드는 건 당연한 일이다. 지식이 부족하면 자연스레 확신이 없어 의심을 깔아 둔 질문을 하게 되고, 답변에 믿음을 갖기 어렵다. 내가 지금 대하고 있는 을은 단순히 나에게 서비스를 제공하는 판매원이 아니라 서비스가 포함되어 있는 엔지니어다.

우리는 스마트 컨슈머(consumer)가 되기 위해 적절한 지식이 필요하다.

인테리어 관련자와 소통이 어려운 이유

도대체 **누구 말이 맞는 거야?**

소통이란 「뜻이 서로 잘 통하여 오해가 없음」이라는 뜻을 가졌으며, 말 그대로 '사람과 사람'이 하는 행위이다. 뜻이 잘 통할 수밖에 없는 공통 관심사를 가진 디자이너와 고객이 만났는데 소통이 어려운 이유는 무엇일까?

인테리어 관계자와 소통이 어렵다 느끼는 많은 이유 중 한 가지는 서로 말이 다른 '그들' 때문이다. 흔하게 사용하는 벽지에 대해서 질문을 던져보자.

"OO 브랜드 이야기를 많이 하던데 여기 벽지는 어때요?" 단순한 질문이지만 다 다른 답변들이 돌아온다.

- A 업체: "OO 브랜드 벽지는 두께감이 있어 좋아요"
- B 업체: "OO 브랜드 벽지는 하자가 많아요"
- C 업체: "OO 브랜드요? 저희는 잘 안 쓰는 거라 글쎄요."

상담을 받아본 사람이라면 공감할 내용이며, 아직 상담을 받아보지 않은 사람도 곧 공감하게 될 내용이다. 같은 브랜드 벽지를 두고 전문가 의견은 왜 다른 걸까? 어떠한 '답'을 얻기 위해서 전문가라 칭하는 사람에게 의뢰를 하는 고객 입장에선 일관성 없는 답변에 신뢰성이 떨어지며 관계자를 믿지 못하는 이유가 생겨나는 것이다. 하지만 같은 답을 내놓을 수 없는 이유도 분명히 있다.

이곳(업체와 상담)은 정답을 알려주는 학원이 아니라 자유롭게 생각을 공유하는 토론장과 비슷하다. 작가 그림을 두고, 수많은 의견을 주고받는 걸 보고 우리는 '왜 다 저렇게 말이 틀리지?'라고 생각하지 않고 다양한 견해 차이라고 보듯이 같은 벽지를 두고 누구는 좋다, 누구는 별로 다라고 하는 견해도 틀린 게이 아니라 '생각의 기준'이 다르다고 봐야 한다.

어느 인테리어디자이너는 마감을 중요시 여기기도 하고, 어느 디자이너는 색감에 미적 중점을 두기도 하는데 디자이너마다 생각하는 '좋다'라는 기준이 다를 뿐 정답이 없는 세계에서 정답을 찾으려고 한다면 시간 낭비라는 이야기가 된다.

그런데, 여기서 질문자의 질문만 바꿔보면 개인적 견해가 아닌 원하는 정답이 나올 가능성이 높다.

"저는 색감 풍부한 벽지가 좋은데 장/단점이 있나요?"(고객)

"색감은 OO 브랜드 벽지가 다양하게 나오는 대신 이음매가 잘 보이고,

 얇은 감이 있어요"(업체)

내가 궁금한 장/단점에 대해 질문한다면 말이 다 다른 개인 의견보다는 정확한 피드백 받을 수 있다. 모든 사람 대화법은 다르기 때문에 질문 핵심을 이해하지 못하거나 왜곡되기도 한다.

답변자의 대화법을 알기 힘들다면 핵심을 숨김없이 질문해 보자.

원하는 답변으로 돌아올 것이다.

현장 방문이 망설여지는 이유

감시와 호기심을 구분하기

공사 전에는 관심 없었던 게 철거가 시작되자 고민으로 다가온다. 바로 "현장 방문을 언제 해야 하는 거지?" 사람들은 현장 방문을 망설이는 경우가 많다. 공사 전에는 그리 큰일이 아니라 생각하겠지만 공사가 시작되면 현장 방문관련 이슈로 오해가 쌓이는 경우가 많다. 그러다 보니 온라인상에서도 자주 언급되는 글 중 하나다.

'현장 방문이 도대체 뭐길래 오해가 쌓여 감정적인 문제까지 갈까?'〈현장〉이란 공사 중인 집을 칭한다.

현장은 매일 많은 작업자가 맡은 공정을 정해진 시간 안에 완주해 내는 곳이다. 현장이라 칭하지만, 고객에게는 '우리 집'이다. 집이 변해가는 모습이 궁금하기도 불안감이 들기도 해서 방문을 한다.

그렇다면 업체 입장에 고객 방문은 어떠한 기분일까?

업체에 고객은 회사대표와 같은 의미이다. 고객 방문은 '회사 대표가 우리 부서에 왔다.' 딱 이 기분일 것이다. 여기에 빠진 단어는 '불시방문, 사전고지방문' 만 없을 뿐이다. 회사에 대표 방문은 격려 차원이라도 직원들은 불편하기에 그지없지 않은가!?

고객 입장의 방문에는 사실 여러 감정이 숨어져 있을 것이다. 격려 차원과 감시 차원이 있는데 솔직한 감정을 먼저 알아야 한다.

격려 차원 방문이라고 생각한다면? 좋은 의미이다. 하지만, 한결같은 마음으로 매일 격려만 해주는 대표는 없다. 격려라는 좋은 의미가 잦은 방문으로 인해 감시라는 기분으로 바뀐다.

우리 집을 최상의 컨디션으로 집중해 진행하는 게 나에게도 좋은 일이지만, 감시로 느끼기 시작한다면 업체는 당연히 위축되기 마련이다. 고객 등장으로 집중하고 있던 현장 공기가 긴장으로 바뀌고, 흐름이 깨지는 건 현실이다.

격려 차원 현장 방문이라면 방문은 줄이고, 담당자에게만 다정한 연락을 해보는 게 최고 응원이 된다.

　*우리집이라 **감시 차원** 방문이라면? 감시라는 걸 좋아하는 사람은 없다.

감시라 쓰고, 확인이라 읽는다. 계획대로 진행되고 있는지 확인은 당연한 일이다. 그런데 감시와 확인은 한 끗 차이로, 상대에겐 부정적 의미다. 의심과 감시라고 느껴지지 않도록 어떻게 행동하면 좋을까? 이런 상황에서는 솔직한 대화가 가장 좋다.

예를 들어,

> "처음 해보는 공사이다 보니 불안하기도 하고 궁금하기도 해요."
>
> "현장을 맡아서 해주시는 실장님에게 먼저 양해를 구해야 하는 것 같아서 연락 드려요."
>
> "현장에 매일 방문하고 싶은데 괜찮을까요? 혹시 제가 방해가 된다면 언제 방문하면 괜찮을까요?"
>
> "방문이 작업에 영향을 준다면, 매일 현장 마무리 사진을 받을 수 있을까요?"

왜 현장 방문하고 싶은지, 방해가 된다면 언제 가능할지, 불안한 마음이 있으니 현장 사진이라도 부탁을 하는 방법이든 이 모든 걸 거부하는 담당자는 없을 테니 솔직하게 마음을 전하고, 조율을 해보자.

여기서 중요한 체크 포인트(checkpoint)!

약속을 했음에도 만약 한 가지라도 이행하지 않는다면? 매일 저녁이 라도 플래시를 켜고 가서 확인해야 한다. 이건 신뢰와 관련된 일이다. 고객과 약속을 쉽게 생각한다면 공사가 계획대로 안 되고 있을 확률이 높다.

결론적으로 의도가 어떠한 들 현장 방문이 망설여지는 이유는 통보 없는 갑작스러운 방문이기 때문이다. 담당자와 약속을 잡았다면 고객은 망설여지는 이유가 없다. 있는 그대로 마음을 전하고 약속부터 잡아 보길 바란다.

시작도 전에 경계심을 갖는 이유

불신 지옥에 빠지다

지독한 경계심을 갖게 만들어서 이성적인 판단을 흐리게 만드는 곳이 바로 불신 지옥이다. 소비자라면 한 번쯤은 경험해 본 〈불신〉이 어떤 부작용을 가져다 오는지 나의 에피소드를 먼저 풀어보려 한다.

어느 날 주택 현장을 맡겨 주신 고객께서 핀란드 사우나 설치를 요청해 주셨다. 주거에 사우나 설치는 처음이라 전기(전력)와 방수/누수, 레이아웃 설계 등 복잡한 공정에 머리를 부여잡고, 매일 사우나 업체를 알아보던 중 커뮤니티에서 우연히 사우나 설치 피해 사례를 보았다.

피해사례를 보고 난 후 고심하며, 사우나 회사들과 미팅을 가졌지만, 모든 설명에 의심 가득한 재질문만 퍼부었다. 그렇게 불안감을 안고 한 회사와 계약했고, 걱정이 무색해질 만큼 완벽하게 마무리가 되었지만… "실장님~ 너무 제 얘기를 믿어 주시질 않아서 힘들었어요(웃음)" 말하는 관계자 얼굴을 보며, '나는 의도치 않게 직원분을 괴롭히고 있었구나' 깨달았다.

이후 실패 사례는 머리에 정보만 입력하고, 편견 두지 않기로 했다. 왜냐하면 경계심을 갖고 하나하나 예민해져 있는 나 자신이 가장 힘들었기 때문이다. 다시 본론으로 돌아와, 인간은 부정적인 내용은 자극적으로 인지해 기억 창고에 남긴다고 한다. 만약 두 가지 제목으로 올라온 글이 있다면 어떤 글을 클릭해 볼까?

「 우리 집 이렇게 예쁘게 바꿨어요. 」

「 인테리어 사기(호구)당 해서 망했어요. 」

현실적으로 곰곰이 생각해 보자. 주변에 실패 사례가 많을까? 성공 사례가 많을까? 정답은 SNS 속 집들만 봐도 보인다. 〈#아파트 인테리어〉만 검색해 보아도 수십만 개 피드가 게시되어 있는데, 실패 사례는 사실 가뭄에 콩 나듯 찾아보기도 힘들다. 그런데 예쁜 집 자랑 질 속에 한 번씩 보이는 실패 사례는 혹시 나도 겪게 되는 건 아닐까 하는 두려운 마음이 강하게 남을 수밖에 없다. 많은 집처럼 '성공'하고 싶다는 간절함이 만들어낸 부작용이 경계심과 불신이다.

시작 전에 에너지를 뺏기지 않도록 경계심은 조금만 남겨두고 인테리어디자이너와 혹은 반 셀프를 준비하고 있다면 작업반장님과 대화에 집중하는 걸 에너지로 쏟아보자! 나를 괴롭히는 불신 지옥에서 벗어나면 즐거운 시간이 된다.

불신 지옥 2_사기꾼 탄생
(포트폴리오 도용제보, 직원 확인 연락, 구경하는 집 사진들)

인테리어에 대한 인식이 바뀌면서 수요가 급격하게 늘기 시작했고, 그로 인해 피해 사례도 같이 늘었다.

몇몇 자격이 없는 사람 때문에 인테리어 시장 자체 신뢰가 떨어지고 있는 걸 체감하고 있다. 고객만이 아니라 동종업계도 피해를 보고 있으니, 한숨만 늘어가고 있다. 사기를 당한 사람이 무슨 죄가 있는가, 분명한 건 사기를 치는 사람이 잘못이다.

근본적으로는 사기를 칠 수 없는 환경을 만들어야 하지만 잡초 같은 사기꾼은 새로운 방식으로 계속 생겨나는 아이러니한 상황. 그렇다면, 피해사례 공통점은 무엇일까?

바로 '말' 뿐인 견적서와 계약서를 받을 가능성 98%!

견적서에는 우리 집에 시공하기로 한 제품명도 제대로 표기되어 있지 않고, 계약서에는 중도금, 입금 날짜, 마감 날짜, 약관도 제대로 표기 되어있지 않은 경우가 많다.

공사를 제대로 진행할 마음이 없는 사기꾼이 시간을 들여 본인에게 불리한 서류를 작성할 일은 없으니 말이다. 이러한 사기꾼의 만행이 수면 위로 올라올수록 공사를 시작하기도 전에 불신이 쌓여가는 이유다.

피해를 최소한 막기 위해 다음 [chapter. 3 좋은 업체 선정하는 방법-134p] 편을 참고해 보자.

Chapter. 3
실패하지 않는 해결책

이 책을 읽는 독자들에게

Chapter. 1~2에서 다룬 문제를
Chapter. 3는 해결책 위주로
정리해 함축한 내용이다.

인테리어 준비, 처음 할 일

인테리어 계획표 작성

우리는 어떠한 일을 준비하고 시작할 때 항목별로 우선순위를 정한 후 중요도 순서에 따라 계획을 진행한다. 공사예산, 이사 날짜, 업체 선택, 디자인, 설계 기타 등 결정이 필요한 것 중 제일 먼저 정해져 계획 기준이 되어야 할 요소들이 있다.

학창 시절 방학 계획표를 만들 때 기상 시간과 취침 시간을 먼저 정한 후 다른 일정을 순차적으로 정한 것처럼 인테리어 계획할 때도 기준이 되어줄 요소를 먼저 결정한다면 체계적으로 준비가 가능하다.

(1) 공사 예산 정하기

(2) 공사 기간 포함해서 이사(입주) 날짜 정하기

(3) 예산과 공사 기간 기준으로, 나머지 요소들 준비하기

(1) 공사 예산 정하기

독자가 선정한 인테리어 예상(계획) 금액인 공사 예산이 첫 번째로 정해져야 전문가와 상담을 통해 예산에 맞는 디자인 제안을 받거나, 내가 원하는 디자인 견적을 확인할 수 있기 때문에 인테리어 계획표에 첫 기준이 되어야 한다. 살면서 부동산 거래 다음으로 큰 금액 지출이 인테리어 비용이라 제한적이고, 부담되는 금액일 것이고, 상황에 따라 큰 금액 변경이 쉽지 않기 때문에 우선 예산을 정해야 한다.

만약 인테리어 알아볼 때 예산 5천만 원으로 정하고, 공사를 준비하거나 진행 중 욕심이 생겼다는 이유로 2배가 넘는 1억 원의 큰 금액을 투자할 수 있을까? 여유자금과 대출까지 고려해 가며 신중하게 선정한 예산이라면 큰 폭으로 변경하는 건 현실적으로 어렵다. 반대로 적은 금액 조절은 가능하다. 하지만, 적은 금액을 더 투자한다고 드라마틱한 인테리어 변화를 바라는 욕심은 버려야 한다. 로망과 현실은 다를 수밖에 없다.

각자 기준에 맞는 예산을 정해야 현명한 인테리어 계획을 세울 수 있다.

(2) 공사 기간 포함해 이사(입주) 날짜 정하기

인테리어 준비하는 분이라면, 공사예산은 많은 고민하지만, 준비할 때 고려하지 않아 당황하는 게 **"공사 기간"**이다. 부동산 계약할 때 공간 컨디션에 따라 인테리어 진행 여부를 결정한다.

건물 연차가 오래되어 기능을 상실하거나, 내부 디자인이 마음에 들지 않아 공사는 해야 하겠다. 생각하고 매매를 하게 된다. 여기서 놓치는 게 있다. 바로 이사(입주) 예정 날짜에 공사 기간을 포함하지 않는다는 것이다!

부동산계약은 매수자와 매도자가 금액, 이사 일정 등 조건이 맞아야 진행한다. 계약 후에 정해진 공사 기간을 한 달, 두 달 변경하는 건 어렵기 때문에 인테리어도 생각한다면 부동산 매매 시 이사(입주) 예정 날짜에 공사 기간도 예상하고 포함해야 한다.

이러한 부분을 고려하지 못한다면, 공사 기간이 부족해 어쩔 수 없이 인테리어를 포기하거나, 이사(입주)를 한 후 추가 비용, 작업 먼지와 전쟁까지 치르며 고생하는 경우가 생긴다.

'첫 단추를 잘 끼면 생각지도 못했던 부분에 생길 수 있는

정신적, 금전적 손해를 막을 수 있다.'

(3) 예산과 공사기간을 기준으로, 나머지 요소를 준비하기

웹(SNS) 검색만 하면 인테리어 관련 정보를 손쉽게 얻을 수 있는 정보화 시대에 살고 있다. 이러한 '공사들이 대략 금액이 얼마인지, 공사 기간이 소요되었는지' 등 내가 원하는 정보를 손쉽게 얻을 수 있는 장점이 있지만, 신뢰성과 전문성이 떨어지는 많은 정보들에 의해 선택하는데 혼란을 일으키는 단점이 있다.

디자인 설계, 구조의 레이아웃, 업체(작업자), 자재선택 등…각 요소 기준에 맞춰 협의, 조율 변경이 가능하다. 여기서, '조율/협의 가능하다는 말'은 선택지가 많아져 결정하는데 어려울 순 있다.

인테리어 계획의 중요한 공사예산과 기간을 먼저 정했다면, 이후 나머지 요소들도 차근차근 준비하는 게 좋다. 예산과 공사 기간을 기준으로 인테리어 공부, 전문가와 상담 등 추가적인 노력한다면 인테리어 공사를 준비하는 과정이 순탄할 것이다.

예산 정하는 방법

내 주머니 사정 살피기

인테리어는 큰 금액이 필요하기 때문에 공사를 계획한다면, 금액을 우선으로 생각할 수밖에 없다. 상담을 진행하면 고객들 첫 번째 질문이 '평당 금액과 진행했던 전 작업 공사비용'이다.

"업체 입장"에서도 확인하는 사항 중 '생각(예상)하고 있는 예산'은 어느 정도인지 물어본다. 이처럼, 고객과 업체가 먼저 확인하는 것이 공사 예산인 만큼 가장 중요하지만, 정확한 예산을 미리 정하기는 어렵다.

정확한 금액을 미리 잡을 순 없어도 **'대략(예상) 예산'**은 정하고, 시작해야 한다. 전문가(업체)와 첫 대면하는 상담 진행 시 정해진 예산이 없다면 공사 진행 범위와 자재, 디자인 요소까지 천차만별 달라지는 게 인테리어 시장이기 때문에 디테일[(detail)(정보, 비용)]한 공사 상담이 진행되지 않는다. 그만큼 중요한 첫발을 내딛는 순간으로 예산이라는 기준을 세워야 다음 순서를 계획할 수 있다. 하나씩 읽어본다면 기준 정하는 데 도움이 될 것이다.

(1) 투자 가능한 금액 잡기

'투자(소비)를 할 땐 자금을 현명하게 해라'라는 말을 한 번쯤은 들어봤을 것이다. 주거 인테리어도 마찬가지로 집에 돈을 투자 하는 일이다. 인테리어는 큰 금액이 필요하기 때문에 100% 여유자금으론 힘든 부분이 있어 여유자금과 대출을 고려해서 정하게 된다.

이해하기 쉽게, 자동차 구매 상황을 이야기해 보면, 우리는 자동차를 구매

할 때 금액 비교 없이 마음에 드는 차를 바로 구매를 하지 않는다. 여유자금 및 할부/대출/카드 등 모든 사항을 고려하며, 가격선에 맞는 차량 등급 선택 후 옵션들 추가 유/무를 고민한다.

이처럼, 인테리어도 기능이 상실한 공간을 깨끗하게 바꾸는 것으로 자동차 구매와 비유한다면,

* 깨끗한 공간으로 만드는 것 = 차량 등급/차종 선택

* 공간에 디자인 요소/자재 추가하는 것 = 차량 옵션 추가 유/무 선택

위와 같이 이해한다면 쉽다. 투자(소비)가능한 금액 선정하는 일은 어려운 일이 아니다. 각자 자금은 정해져 있어 공사에 들어갈 비용을 지혜롭게 정하면 된다.

(2) 예산은 여유롭게 잡기

여유자금과 유동자금을 확인해서 인테리어 예산을 선정한다. 예산을 선정할 때 타이트(tight)한 돈이 아닌 유동적으로 여유 있게 잡아야 하는 이유는, **처음부터 타이트한 예산을 선정하게 되면 변수에 적절하게 대응할 수가 없다.**

> '변수란 수십 가지 일이 있을 수 있지만
>
> 생각보다 욕심에서부터 생겨난다.'

모든 일이 그렇지만, 인테리어는 특히 첫 시작이 어렵다. 어려운 일이 지나고 나면 욕심이 생기는 건 어찌 보면 자연스러운 일이다. 공사가 시작되고 난 후 자재 등급을 올리거나 제작 가구 수량을 늘리거나 크고 작은 추가금을 투자했을 때 완성이 달라진다는 걸 경험해 나가면서 욕심(아쉬움)이 생겨나기 때문에 여유로운 예산 준비라는 게 쉽진 않지만, 필요한 이유다.

타이트(tight)한 예산으로 무리하게 공사 진행하면 디자인과 만족도를 판단/고려해 결정한 합리적 선택이 아닌 금액만 생각하며 반강제 같은 결정을 할 수밖에 없다.

반대로 예산이 과장되지 않고 줄어든다면

생각지도 못했던 목돈이 생겨 당신에게

뜻밖의 선물을 줄 수 있지 않을까?!

*[chapter 2. 추가 금액이 발생하는 현실인 이유-60p] 사례를 참고하여 고민해 보자.

(3) 투자에 가치가 있는지를 판단하기

인테리어 공사는 철거부터 마감, 청소까지 공정을 거쳐서 준공이라는 결과 물을 완성하는 과정의 집합체. 여러 가지 과정 중에 옵션을 추가해 결과 물을 업그레이드(upgrade)할 수 있고, 그에 따른 결과물이 달라진다. 여기 엔(옵션/업그레이드) 사람마다 만족도와 가치관이 다르기 때문에 상대성이 존재한다.

  · 디자인[미(美)적 요소]에 중점을 두고 생각하는 사람

  · 오래된 지저분한 개선이 먼저로 깨끗한 보수에 중점을 생각하는 사람

나는 어디에 중점을 둘지 고려해 두어야 한다. 그 후 전문가(업체)들과 상 담을 통해 디자인보다 예산에 맞는 인테리어의 뼈대를 잡을 것이다. 뼈대란 "기본으로 꼭 해야 하는 공정을 말한다."

필수인 공사 기준을 잡은 후 내가 하고 싶었던 디자인/시공법/자재 등급 등 업그레이드하다 보면 추가 비용이 발생된다. 이때, 먼저 생각해 둔 중점 을 떠올리며... 추가한 게 금액 대비 '내 만족도가 높은 것인가, 투자 가치 가 충분할 것인가' 고민 후 결정하자.

(4) 이사(입주)에 관련된 총비용을 선정하자.

총금액을 선정하려면 인테리어 공사 관련 이외 비용까지 계산해야 한다. 인테리어 공사비+이사비용+가전, 가구, 소품 구매 비용까지 전부 포함된 금액을 말한다. 인테리어 완성은 공사와 더불어 가전, 가구 구매부터 작은 소품 하나하나 모두다 포함이다.

전체 금액(예산)을 결정 후 공사비용, 가전, 가구, 이사, 스타일링에 대해 비용을 세분화해 둔다면, 향후 공사를 진행하다 생각하지 못한 변수 등 불가피한 상황들로 인해 예산 변동이 필요한 일이 생겨, 난감할 경우 각 파트별로 예산을 업(up) - 다운(down) 조절하며, 대처 가능하다.

즉, 예상보다 인테리어 공사비가 올라가면, 가구/가전/스타일링 비용에서 일부 조절할 수 있고, 반대로 인테리어 공사비가 줄었다면 가구와 소품을 더 늘려 완성도를 올리는 등 변수에 유연하게 대응할 수 있다. 각 상황에 유연하게 대처해야 인테리어도 무난하게 진행할 것이다.

현실 공부 법

단기 속성 공부법이 필요한 시점

지식을 쌓는다는 것은 그 분야에 대해 직접 경험하거나, 간접경험을 통해 쌓은 기억을 말한다. 그렇다면 일반고객 입장에선 경험을 어떻게 쌓을 수 있을까?

직접경험은 실무와 공사 현장에 진행 과정을 보거나 직접 작업하며 경험을 쌓는 걸 말하고, 간접경험은 관련 도서나 웹(Web)을 통해 습득한 이론이다. 건설업계 관련 인맥이 있지 않는 이상 직접경험은 힘들기 때문에 간접경험으로 지식을 쌓아야 한다.

웹(Web)에서 인테리어 관련 글을 검색하거나 관련 도서를 보면, (설계하는 방법·디자인·레이아웃·공정 주의 사항·트렌드 등⋯)다양한 주제 글과 사진들이 넘쳐난다. 많이 알수록 좋겠지만, 인테리어 공사는 전문적이라 간접경험만으로 단기간에 모든 지식을 쌓을 수 없다는 한계를 인정해야 한다.

그리고, 착각의 늪에 빠지면 안 된다. 지식을 쌓아서 인테리어 업종으로 창업이 목표가 아닌 인테리어 공사를 성공하기 위해 지식을 쌓고 있다는 점이다. 그럼! 단기간에 알아 둬야 할 꼭 필요한 것과 최소한 지식을 쌓는 방법을 알아보자.

(1) 포트폴리오(이미지들) 무지성 수집하기

이 과정은 내 취향을 찾아가는 첫 단계로 거실인테리어, 주방인테리어, 화이트인테리어, 우드인테리어, 30평, 50평⋯인테리어 등 다양한 이미지를 편하게 보면서 마음에 드는 이미지를 저장해 모으는 것이다. '이건 당연한 거 아니야?' 생각할지도 모른다. **단, 한 가지 조건이 있다.**

이미지 수집(저장)에 키워드(Keyword) 제약 두지 않기!

예를 들어 '화이트+우드로 인테리어 된 사진만 찾아야지'라는 식의 키워드에 먼저 제약을 걸어 놓지 않는 게 가장 중요하다.

순수하게 다양한 이미지만 보고 마음에 드는 사진을 고민없이 전부 저장하자. 관심 밖이었던 인테리어 사진을 처음 보게 되면 수많은 컨셉(concept) 때문에 복잡함을 느끼며, 막막할 수 있지만 꼭 필요한 과정이다.

'이 사진 느낌 예쁘네', '아~이런 디자인이 있구나', '여기 주방 넘~ 편하겠다.', '맞아! 나도 이런 수납이 필요했지' 등… 사진을 보며 생각과 시야를 넓혀가야 한다. 어느 순간 처음에 낯설었던 인테리어가 다양한 이미지를 보면서 자연스럽게 지식(간단한 용어)도 쌓여 보는 눈이 길러질 것이다.

(2) 모은 이미지들 공통점 찾기

먼저 조건 없이 다양한 이미지를 수집했다면, 이제 정리를 가져보는 시간을 가지자. 정리를 한다는 건 주제별로 분류하는 행위로 첫 번째 순서의 심화 과정이라고 보면 된다. 사진을 모으며 인테리어 시야를 넓혔다면, 정리하면서 내 취향에 집중해 보자.

성공(만족)한 인테리어는 나의 취향(좋아하는)을 현실화해 주는 작업이므로, 이 순서를 통해 취향을 찾아야 한다. 제약 없이 수집했던 사진들 컨셉(concept)과 자재, 색감 등 중복되는 공통점이 보인다면 나도 모르던 본인 취향이며, 원하는 컨셉(concept)일 것이다.

'모든 사진 70%는 포인트로 블랙이 다 있었네?'

'아! 내가 초록색 계열을 좋아하는구나!'

'가구는 이렇게 구성되는 걸 좋아하네?'

또한 이 방식으로 정리를 하다 보면 자연스레 '여기 우리집 주방 구조와 비슷하네', '현관을 이렇게 활용하는 것도 가능하겠다' 등 공간에 대한 응용력이 생기게 된다. 한국의 주거공간은 구조가 어느 정도 정해져 있어 우리집에 어울리는 레이아웃까지 미리 공부할 수 있다.

(3) 공사과정 눈에 담아 보기

인테리어 공사는 철거와 목공부터 마감까지 다양한 공정들이 있고, 그 공정 안에서도 소 공정으로 나뉠 만큼 복잡한 공사 과정을 거쳐 완성되게 된다. 공사 과정이라는 말을 처음 접하게 되면 전문가 영역이라는 인식이 있어 어렵고, 거부감이 들 수밖에 없다.

전문가가 아니기 때문에 복잡한 공사 과정을 다 이해하려 하지 말고, 처음에도 강조한 듯이 인테리어 성공하기 위해 공부한다는 걸 떠올리면서 쓰윽~ 눈으로 과정만 담아보자.

글로 설명된 인테리어 공사 과정은 경우에 따른 범위가 넓고, 어려운 건축 용어가 많아서 이해하기 어렵다. 똑같은 내용이 어도 이미지(그림)가 첨부되어 있다면 글보단 이미지 위주로 보자. '이게 목공 작업이구나', '타일 시공은 이렇게 하는구나!' 까지는 알 수 있듯 딱 거기까지 만 정보를 쌓으면 된다.

그 이상 지식(정보)을 쌓는 일은 우리가 할 일이 아닌 인테리어 전문가(업체)가 해야 할 영역으로 생각하자.

(4) 발품 팔자:

(발품: 어떤 것을 구하기 위하여 직접 걸어 다니는 수고를 들이다) 지금까지 제안은 글과 그림을 통한 간접경험을 제안했다. 앞에서 제시한 방법도 지식을 충분히 쌓을 수 있지만, 발품 파는 게 단기간에 효율적으로 지식을 쌓는 최고 방법이다.

이 말은 즉, 발품으로 **'전문가(업체)에게 인테리어 상담을 많이 받아보자.'**이다.

웹(web) 발달로 인해 간단한 견적서 양식으로 세부 상담은 빠진 상태로 단순 금액 중심을 둔 견적서만 받는 형태로 어렵지 않게 인테리어 견적을 받을 수 있는 곳이 많아졌다.

인테리어 상담이 중요한 이유는 인테리어디자이너의 조언과 제안까지 함께 들을 수 있기 때문이다. 중요한 그들의 지식과 제안을 직접 방문(대면)해 상담하며 정보를 하나씩 수집해 보자.

간접경험을 통해 정리한 지식을 전문가(업체)와 공유하며 내가 생각한 이미지의 현실 가능성을 확인하고, 더 나아가 생각하지 못했던 아이디어도 얻는다.

발품 파는 만큼 내 인테리어 지식은 업그레이드(upgrade)된다.

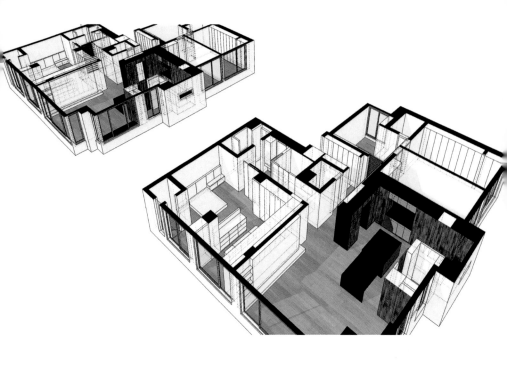

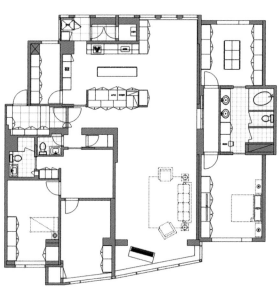

각 공정 이해하기

인테리어 공사는 많은 공정으로 세분화되어 있다. 공정에는 어떤 작업을 하고, 주의할 점이 무엇인지 간략하게 정리해 보려고 한다. 간단한 지식만 있어도 전문가(업체)와 대화하는 데 있어 오류를 줄일 수 있고, 인테리어에 대한 이해도가 올라가 있을 것이다.

〈철거〉

노후화되고, 불필요한 마감재를 뜯어내 없애는 것이다. 건축 당시 모습으로 초기화하는 공정으로 보면 된다. 작업하면서 나오는 폐기물을 외부로 반출까지 해줘야 마무리된다. 공정 중 소음과 먼지가 가장 많이 발생하여 특히 안전과 민원에 신경 써야 하고, 철거를 진행할 곳과 아닌 곳을 정확히 표기하고 거기에 맞게 진행되는지 확인해야 한다.

뜯어낸 곳은 다시 마감재를 입혀야 하므로 철거 범위는 곧 공사 규모를 말한다.

〈설비〉

기본 시설을 갖추기 위한 행위를 설비라 말하는데 건축/인테리어에서 설비는 수도, 배수관, 보일러 배관, 방수, 미장 등 설비 작업에 포함되어 있고, 기존 되어있던 설비 위치를 옮기거나 오래된 관과 장비를 교체하는 작업이다. **"공정 중 가장 중요하다."** 그 이유는 하자(실수)가 발생하면 누수로 주변 옆/아래 집까지 큰 피해를 준다. 시멘트나 마감재로 덮게 되면 보이지 않으니, 설비 작업이 끝나면 하자 발생이 없는지 여러 번 확인하자.

〈목공〉

인테리어 꽃이라고 불리며, 목자재를 활용해서 골조의 수직, 수평을 잡아 공간이 반듯하게 하는 작업이다. 공사 틀과 방향을 잡는 중심이 되는 공정이다. 기본 바탕이 중요하듯 수직, 수평을 잘 잡아줘야 다음 공정이(마감자재) 진행된다.

목공이 끝나면 공사 50%는 끝났다는 말이 있듯이 인테리어 공사(디자인) 윤곽이 보인다. 여기서, 중요한 점은 수정(변경) 사항이 있다면 목공 끝나기 전에 수정해야 비용과 시간을 줄일 수 있다.

〈전기, 조명〉

전기 간선(배선) 작업과 등 기구(조명) 설치 작업으로 나누어 시공된다. 간선(배선) 작업은 목공 작업과 병행이 된다. 조명, 스위치, 콘센트 위치 변경, 새로 신설을 위해 전선을 천장과 벽을 통해 배분하는 작업이다. 등 기구(조명) 설치 작업은 벽(바닥) 마감작업(도배/도장작업) 마무리 후에 조명 및 전기제품(콘센트, 스위치)을 설치하고, 마감하는 작업 순으로 진행된다.

계획대로 조명 및 전기제품 위치가 잘 맞는지 확인하고, 간선(배선) 작업 마무리 후에는 꼭 회로를 확인해서 전기작업에 문제가 없는지 확인하자.

〈샤시/샷시〉

노후화되고 기능이 떨어진 샤시/샷시 창을 새 제품으로 교체하는 공정이다. 제품 등급, 브랜드도 중요하지만, 시공이 잘못되면 샤시 기능을 발휘하지 못하기 때문에 수직, 수평 오차 없이 시공하고, 샤시(샷시)와 콘크리트 틈 사이사이에 폼과 실리콘을 통한 기밀 단열시공이 필요하다. 브랜드, 유리 두께(t), 종류에 따라 금액 차이가 크게 난다. 계획된 예산에 맞춰 선택해야 하는 품목 중 하나이다.

〈필름〉

(샤시)창틀, 방문, 가구, 몰딩, 걸레받이 등에 인테리어필름을 활용해 색을 입히는 작업으로 벽면 및 천장 등 활용 범위가 넓어지며, 필름 시공이 차지하는 비중이 커졌다. 미팅 시 선택한 제품이 시공되는지 확인해야 되고, 필름시공이 마무리된 후 다음 공정 실수로 인한 찍힘/파손을 막기 위해 보양에 신경 써야 한다.

〈도배〉

필름과 같이 색을 입히는 공정으로 벽지를 벽면 및 천장에 붙이는 작업이다. 대중적으로 저렴하고 벽 마감은 도배라는 인식이었다면, 최근엔 도배도 매끈한 벽을 원하는 하이_퀄리티[종이에 벽 마감 상태가 비치지 않도록 하는] 도배 시공 추구로 비용이 많이 드신 공정이다. 도배(벽지) 시공보다 더 중요한 시공 밑 작업으로 퍼티작업(콘크리트 면을 오돌토돌 한 면 없이 메꾸는 작업)을 통해 정리 정돈을 잘 해줘야 한다. 필름 공정 주의사항과 동일하며, 추가로 벽지에 오염될 시 잘 지워지지 않기 때문에 공사 먼지 오염을 주의해야 한다.

[일반시공 도배 중] 실크벽지 시공은 콘센트 벽 혹은 벽 끝 부분에 풀 칠을 하는데, 벽 마감 상태가 비치는 매끈하지 않은 마감이 된 일반시공 도배 사진 모습 입니다.

[하이_퀄리티 도배] 실크벽지 시공을 벽 끝에 풀칠을 하더라도
석고보드로 벽 밑이 깔끔하도록 목공 작업과 퍼티 작업으로 정리 정돈 해
풀칠 후 마감 상태가 비치더라도 매끈하게 되도록 도배 시공 사진한 모습입니다.

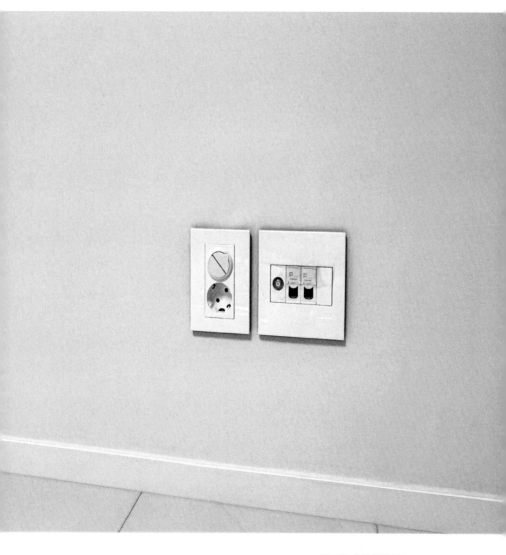

도배. 도장시공 밑 작업인 퍼티 작업 입니다.

(콘크리트 면을 오돌토돌 한 면 없이 메꾸는 작업)

〈도장〉

벽면, 천장, 가구 등 공간에 제약 없이 페인트를 활용해 마감하는 작업으로 색을 입히는 공정 중 시간과 비용이 가장 많이 들어가는 공정이다. 필름, 도배와는 다르게 한 폭(자재 규격) 제한이 없고, 몰딩/걸레받이 등 재료 분리대가 필요 없어 이음선이 없는 깨끗한 면을 만들 수 있다. 시공 시간만큼 충분한 건조 시간이 필요하기에 여유 있는 작업 기간을 확보해 줘야 한다.

〈타일〉

최근 타일(크기) 규격이 대형화되고, 시공 방법이 디테일(detail)해져 작업 시 시공방식에 따라 인건비가 비싸진 공정 중 하나이다. 졸리 컷(타일과 타일이 만나는 면을 사선으로 잘라 시공), 레진/메지(타일과 타일사이 충전재) 마감 등… 시에 따른 비용 차이가 있으므로, 예산에 맞는 시공으로 선택 가능하다.

타일이 만나는 면을 사선으로 커팅하고 마감하는 시공방식(졸리컷) 모습입니다.

목공 작업과 같이 벽, 바닥 수직/수평이 중요하며, 공간에 기준점을 먼저 정해야 균등하게 타일 배치해 자투리 쪽(작은 타일)이 잘리는 타일 많거나 또는 선이 맞지 않는 상황이 생기지 않는다. 타일 시공은 붙이는 작업도 중요하지만, 중간 충분한 양생 시간(타일 접착제 말리는 시간) 필요하다.

타일의 높낮이 레벨을 맞추기 위한 평탄화 클립을 사용해 시공한 모습입니다.

평탄화 클립을 사용하지 않고,,메지 선을 계산하지 않은 타일 시공의 모습입니다.

〈욕실 제품 셋팅〉

타일 작업완료 후 수전, 도기, 위생 기를 설치하는 공정으로 사용자 편의에
따른 높이, 사용 위치를 고려해서 시공한다. 모든 제품 설치 후 물이 새는
곳이 없는지 확인해야 하며, 타일(강도) 종류에 맞는 공구를 사용하여야 한
다.

〈마루〉

 장판(PVC 소재 비닐)이 아닌 바닥재로 강마루, 원목마루, 합판마루, 타일
마루로 크게 구분된다. 접착제를 사용해 마루를 시공하는 공정을 말한다.
예산에 맞는 자재 선택이 중요하고 수종에 따라 색상, 질감이 다르기에 추
구하는 디자인에 맞는 선택이 필요하다. 자재선택 시 작게 재단된 샘플이
아닌 실제크기 샘플을 보며 선택해야 선택의 오류를 줄일 수 있다. 시공 시
공간이 넓고, 길어 보이는 결 방향으로 사전에 먼저 결정해야 하고 실수로
인한 쪽 갈이(마루 낱장을 떼 보수하는 작업, 쪽갈이 보수는 들뜸을 주의해
야 한다.)를 피하고자 시공 완료 후 꼼꼼한 보양은 필수다.

〈가구〉

 공정 요소에 따라 분배되는 금액이 가장 크다. 가구공장에서 사이즈에 맞
게 일부 제작된 몸통 및 문짝을 현장에서 공간별로 조립 및 설치하며 마무
리한다. 가구 설계 시 담당자와 많은 대화를 통해 니즈를 잘 전달해야 하
며, 도면을 확인해 크기 및 위치를 확인해야 한다. 시공 시 수직, 수평이
맞춰지지 않는다면 사용 시 뒤틀림 같은 문제들이 생길 수 있으니 정교한
시공이 필요로 한다.

이외에도 여러 자재에 따라 공정들이 있지만, 기본 정보만 간단히 추려 본
것으로 정리한 공정들을 기준으로 하여 하나씩 공부해 보면 좋을 듯하다.

인테리어비용 줄이는 방법

버리고 비우기 기술

'인테리어 공사비를 어떻게 하면 줄일 수 있을까?'라는 생각은 공사 준비하고 있는 분이라면 꼭 하는 고민거리이다. 사람 욕심은 끝없이 늘리는 건 쉽고, 줄이기는 어렵기 때문에 하고 싶은 걸 계속해 추가하다 보면 계획과는 다르게 비용이 수직으로 상승하는 걸 경험하게 된다.

그렇다면 "정말 비용 줄이는 건 안 되는 걸까?" 답부터 말하자면 가능하다. 몇 가지 가능한 방법과 이유를 알아보자.

(1) 정확한 공간(집) 상태 확인하기

공간(집) 상태에 따라 공사 품목이 늘거나, 줄어들 수 있기 때문에 공간(집) 컨디션 확인은 필수이다. 만약, 천장까지는 공사비 계획이 없었지만, 막상 천장을 확인해 보니 누수 흔적이 있거나 난해하게 목재로 꾸며 놓은 디자인 때문에 생각지도 못한 철거와 목공 비용이 추가로 발생한다.

반대로 오래된 구축아파트라 당연하게 천장까지 전체 철거와 목공까지 공사를 계획했지만, 생각보다 상태가 양호해 작업 없이 도배로만 마감한다면 비용을 줄일 수도 있다.

현관 입구부터 천장까지 확인 가능한 곳은 컨디션 잘 확인해 보자.

(2) 견적서에 들어간 제품 등급 확인하기

견적서에 들어간 제품 등급 확인 후 금액 조절을 하자. 예를 들면, 처음 제품 등급 결정할 때 욕실 위생 기를 190만 원대 비데 일체형 제품을 선택했지만, 생각해 보니 거실 욕실은 자주 사용하지 않아 제품 등급을 낮추어 금액 조절할 수도 있다. 티끌 모아 태산이 되듯이, 제품을 합리적으로 등급 조절하여 비용을 낮춰보자.

(3) 견적서 외 별도 공정을 최대한 만들지 말기

금액을 줄이기 위해서는 계획 시 견적서 별도 공정을 최대한 줄여야 한다. 미팅 시 당장 제품들 등급(조건)을 정할 수 없어, 공사 시작 후 선택에 따른 추가금이 발생하는 별도 공정은 충동구매(가격 비교)를 시킨다. 처음 선택에 고민이 되던 품목이라면 정신없는 공사 중에는 스스로 조율하기란 쉽지 않다. 시작 단계에 금액 업(up) - 다운(down)을 맞춰가는 게 정신건강에 훨씬 도움이 된다.

(4) 눈높이를 낮추기

비용을 줄이고 싶다면 눈높이를 낮추자. 가혹하지만 현실인 말이다. 한번 높아진 눈을 낮추기란 누구나 힘들다. 처음부터 고급(비싼) 자재, 공정마다 디테일(detail)한 시공 방법만 본다면 비용 줄이기엔 현실적으로 어렵다. 시작이 반이다. 눈높이를 조금만 낮춰보자.

(5) 예뻐 보이는 것과 실제로 사용하는 것 구분하기

온라인 쇼핑을 하다가 평소에 자주 입는 스타일이 아닌 데도 모델이 입은 옷이 예뻐 보인다는 이유만으로 옷을 구매하고, 그 후 버리기는 아까워 가격표도 떼지 않고 옷장에 넣어둔 경험이 한 번쯤은 있을 것이다. 인테리어도 마찬가지다. 실제 사용을 고려하지 않고, 눈에 보이는 미(美)적 요소만 쫓는다면 후회할 확률이 높다.

만약, 직접 요리하는 걸 좋아해, 요리를 많이 하는 사람인데, 싱크대 상판으로 화이트 천연대리석을 원한다면 어떨까? 천연대리석만큼 고급스러움을 따라갈 고급 건축자재는 없다. 하지만, 음식물 색소를 흡수하고, 기름기와 산성에 광택이 없어져 관리도 까다로운데 비싸기까지 한 자재이다. 음식 조리를 하고, 평소 바로 상판 위를 닦는 성격을 갖고 있다면 추천한다.

관리하는 습관이 없는 사람이라면, 관리라는 스트레스로 인해 관상용 주방이 될 수도 있기 때문에, 관리나 금액 면에서 대체 자재로 인조대리석 사용하는 게 효율적이다. 이러하듯 실제로 사용할 것과 디자인 요소를 구분해서 포기할 부분은 과감하게 내려놔야 한다.

(6) 공정표(공사 일정) 체크하기

 열심히 노력해 인테리어 공사를 준비했다 해도 누락/변경 사항은 생길 수가 있다. 이때, 공정이 진행되기 전 적기를 잘 맞춘다면, 놓친 사항은 공사 전 받는 공정표(공사 일정표)를 잘 체크해 두면 변수들에 잘 대처해 비용을 절약할 수 있다.

만약 공사가 한참 진행 중 문득 침대 옆으로 새로운 콘센트가 필요해 요청해야 한다면?

전기 간선(배선) 작업이 완료되지 않았다면 적은 비용으로나, 추가금이 없이도 수정해 해결할 수 있다. 하지만, 작업이 완료된 후 이야기가 달라진다. 작업한 면을 뜯어야 되는 경우가 발생 되 비싼 비용을 지불해야 되거나, 추가로 해야 하는 작업량이 많아져 콘센트를 수정 작업하는 게 불가능 할 수도 있다.

공 정 표

THEURBAN _ design

현장명: 서울시 OOOOO

공사기간: 20**년 *월 *일 ~ 20** 년 *월 *일 [30일간] 공휴일/토요일 제외 공사기간 [20일간]

NO.	1	2	3	4	5	6	7	8	9	10	11	13	14	15	16	17	19	20
공정	철거	설비	욕공사	도장공사	타일공사	금속공사	조명/전기	A/C에어컨	필름공사	도배	가구공사	욕실셋팅	필름작업	마루공사	대리석세라믹	실리콘작업	준공청소	마감
10월 18 화	철거																	
19 수	철거																	
20 목	철거	설비																
21 금		설비	욕공				전기											
22 토																		
23 일																		
24 월			욕공				전기											
25 화			욕공															
26 수			욕공															
27 목			욕공															
28 금			욕공				전기		필름									
29 토																		
30 일																		
31 월									필름									
11월 1 화					타일													
2 수					타일													
3 목					타일													
4 금				도장	타일													
5 토																		
6 일																		
7 월				도장														
8 화				도장														
9 수				도장														
10 목				도장														
11 금				도장														
12 토																		
13 일																		
14 월											가구			세라밀				
15 화											가구							
16 수											가구							

(sample) 공정표

(7) 주변 의식하지 않기

어린 5살, 3살 아들 둘, 부부, 반려견까지 함께 사는 가족이다. 아들 둘을 키우는 집이라면 인테리어를 한다고 해도 활동량이 많은 아이들이라 집 관리가 어려울 것이다. 그런데, 지인/커뮤니티 등 검색해 보면 '공사한 티를 내려면 화이트 도장으로 벽 마감은 꼭 해라' '벽지보단 꼭 도장 마감을 추천' 한다, 하나같이 이야기한다.

큰 차이는 모르겠지만, 남들 하는 걸 나만 하지 않는 게 뒤처지는 것 같고, 촌스러운 사람이 되나 싶어진다. 좋다니 좋겠지 하는 마음에 도배 보다 훨씬 '비싼 비용' 지불해 도장 마감을 선택했다. 이후 역시나 관리가 쉽지 않은 도장으로 마감된 벽은 두 아들 장난감에 찍히고, 그림판이 되어 엉망인 그 모습을 보며 한숨만 늘어났다.

아직 어린아이들 라이프스타일을 고려해 도배를 했다면, 큰 비용도 줄이고 관리도 쉬웠을 것이다. 즉, 뒤처지는 사람은 안 되었지만, 비싼 비용이 들어간 부담에 '아이들이 벽 손상시킬까?' 걱정하는 관리라는 스트레스를 얻었다. 주변을 의식하지 않고 장/단점을 따져본 후 나에게 맞는 시공을 선택한다면 비용을 내면서 스트레스를 겪는 일은 없을 것이다.

상담(미팅)하기 전 준비해야 할 것

나를 위한 준비물

상담(미팅) 진행하다 보면 '나는 모르니 전문가(업체)가 알아서 제안하겠지', '일단 얼마인지 받아보고 판단하자' 이처럼 아무런 준비 없이 가벼운 마음으로 상담을 진행하는 고객이 많다. 시간을 할애하는 만큼 상담 시간을 값진 시간으로 만들어야 한다.

인테리어 상담은, 업체(전문가) 선정하려는 필요한 절차로 비교 선택을 하는데 큰 비중을 차지한다. 각 업체마다 공사노하우, 아이디어 등 많은 정보를 알아 낼 기회다. 다양한 경험을 통해 축적된 전문가라는 사람의 정보를 공유받을 수 있어 인테리어를 하는데 많은 도움을 받는다. 빈손으로 준비 없이 가는 것보단 내가 많은 정보를 얻을 수 있도록 상담 시간을 효과적으로 사용하기 위해 준비할 게 무엇이 있는지 알아보자.

(1) 단위세대 평면도 준비하기

공사를 진행할 곳 도면과 몇 평형, 어떤 타입인지 사전에 알고 있을 것이다. 해당 관리사무소에 요청하면 받을 수 있는 단위세대 평면도(건축 도면)를 준비하자. 단위세대 평면도에는 사이즈가 세분화되어 있고, 내력벽/비내력벽 및 설비 위치까지 표기되어 있어 대략 확인 가능하다. 인테리어 공사 전 설계할 때 필수 요소다.

거실 확장공사를 해야 하거나, 주방 레이아웃 변경 시 고려하고 확인해야 할 사항들이 단위세대 평면도에 표기되어 있기 때문에 현장답사 및 실측 전까지 참고 가능하다. 예상 견적 오차 범위도 줄일 수 있다.

만약, 단위세대 평면도 준비가 어렵다면 간단한 타입과 구조 정도라도 볼수 있는 온라인상에 간략한 평면도라도 준비하자.

그리고, 단위세대 평면도가 준비했다면, 예약(상담 약속)을 할 때 업체에 발송을 해주면 좋다. 업체가 도면을 보며 고민할 시간이 생겨 더 좋은 아이디어가 나온다.

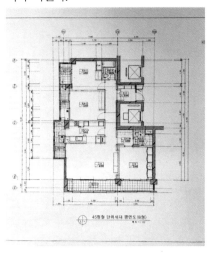

(Sample) 단위세대평면도

(Sample) 네이버-평면도

(2) 라이프스타일 정리하기

집(주거 공간)이란 나를 위해 존재하는 곳으로 라이프스타일을 얼마나 잘 반영했는지에 따라 성공 or 실패가 결정된다고 생각한다.

직업, 나이, 취미, 가치관, 생활 습관 등이 모두 다른 만큼 라이프스타일은 개인마다 다르다.

> '나는 옷을 좋아하고, 많아 넓은 드레스 룸이 필요하다.'
> '요리를 좋아해 주방이 우선순위다.'
> '침실에 있는 시간이 많아 다른 공간보다 침실에 신경을 많이 쓰고 싶다.'
> '반신욕을 좋아하기에 욕조가 필요하다.' …….

하나씩 내가 원하는 걸 우선순위로 정리해 보는 게 좋다. 인테리어디자이너들은 이 분야에 대해서는 전문가지만 고객들에 대해서는 아는 게 없으니, 나의 정보를 공유해야 원하는 니즈(needs) 파악하고, 인테리어에 반영할 수 있다.

(3) 좋아하는 사진 정리하기

상담(미팅) 진행 시 내 취향(생각)을 전문가에게 전달할 수 있는 방법은 뭐가 있을까? 앞서 [현실 공부 법-100p] 수집해 두었던 이미지 자료를 가지고 있을 것이다. 정성스럽게 준비한 제안서, 고민 흔적이 남아있는 도면 등… 당연히 많은 준비가 가능하다면 좋겠지만, 인테리어 계획 초반에는 좋아하는 사진, **정리된 이미지(사진)**까지 해도 충분한 전달 방법이라고 할 수 있다. 첫 상담 진행에는 이미지로 느낌만 전달하자. **"주방은 이런 느낌으로, 욕실은 이렇게 하고 싶어요~"**

사진만 전달해 줘도 고객의 인테리어 취향을 알게 되고, 니즈(needs)에 맞춰 효율적인 상담을 할 것이다. 초반부터 과부하에 방향이 틀어지지 않도록 전문가(업체)들과 상담(논의) 통해 정리하며 시작하자.

(4) 메모하는 습관 만들기

계획 초반 상담을 시작하면 놀라는 게 있는데, 생각보다 많은 대화 양이다. 첫 상담에 평균 1~2시간 내외 소요가 될 만큼 많은 내용을 다 기억하기란 사실상 불가능하다. 그러다 보니 '한두 가지만 남고, 백지가 되어 이야기한 내용들이 뒤엉켜 기억에 남는다. 하지만 집에서 중요하지 않은 건 없다. 하나하나 놓치지 않기 위해서는 메모는 필수다. 공사가 진행 중에도 끝난 후 주의 사항까지 메모하는 걸 기억하자.

THE URBAN
[미팅 & 상담] 외부공유불가 내부용

1차 공정별 상담 리스트

▷ 프로젝트 현장명 : 강남구 000동 000000 APT 00   2000 - 00 - 00 (금)

공 정	내 역	비고
concept		
철거		
바닥(마루) 철거		
배관설비 및 미장		
목 공		
필 름		
도 장		
타 일		
욕 실		
주 방		
도 배		
바 닥		
전기 / 조명		
붙박이가구		
줄 눈		
샷 시		
석 재		
금 속		
철 물		
가전 및 가구(대여)		
패브릭 / 스타일링		
실리콘 / 줄눈		
준공청소		
그 외		

(sample) 상담리스트

좋은 업체 선정하는 법

기본을 잊지 말자

직업군 중 인테리어는 전문직이지만, 창업 전 필수 지참 되는 국가자격증이 없어 진입 장벽이 높지 않다. 쉬운 만큼 책임감 없이 시작하는 몇몇 사람들로 인해 요식업처럼 쉽게 생겨나고 사라지는 것 같다. 그로 인한 피해(사기) 및 부실시공이 늘고 있는 실상이지만, 현실은 정직하고 실력 있는 업체가 더 많다. 강하게 기억에 남는 부정적 뉴스와 사례들이 뇌리에 더 남을 뿐 현실은 실패 확률보다 성공 확률이 더 높다. **소중한 우리 집을 책임져 줄 좋은 업체를 선정할 때 고려해야 할 몇 가지를 살펴보자.**

(1) 기본사항 체크하기

기본이라는 사업자등록증, 사무실 위치를 확인하자. 몇 년 전보단 많이 사라졌지만, 사업자등록, 업무를 볼 사무실도 갖추지 않고, 온라인만 홍보하며 공사를 진행하는 업체도 있어 최악을 피하고자 기본은 꼭 확인하자. 또 홈페이지(블로그, 인스타그램, 유튜브 등…)를 확인하자.

인테리어 업체 경력은 사업체를 운영한 기간이 아닌 지금까지 진행했던 프로젝트 개수로 확인해야 한다. 한 분야에 많은 경험을 토대로 지식을 갖춘 사람이 전문가라 일컫는데, 경력만 길고 진행했던 프로젝트의 숫자가 적은 경우라면 전문성을 의심해 볼만하다.

(2) 포트폴리오(시공 사례) 확인

인테리어 업체를 볼 때 포트폴리오는 시공 및 디자인 능력을 판단하는 수단이다. 과거 진행했던 시공 사례들로 업체시공 능력 향상을 확인하고, 새로운 포트폴리오가 계속 업로드 되는지 확인하자. 여기서 중요하게 볼 것은 사업체마다 규모가 다르기에 공사횟수에 집중이 아닌 지속성 즉, 꾸준하게 업로드(공사진행) 되는지를 확인해야 한다. 그 이유는 일이라는 건 공백이 있는 것 보다는 긴장감을 유지하는 게 능률이 생기고, 업무 효율이 높기 때문이다. **업체 포트폴리오와 내가 모아온 이미지가 유사성이 있는지 체크하자.** 수집한 이미지는 나의 취향이자, 원하는 것으로 업체 포트폴리오는 회사가 추구하는 디자인 방향성으로 생각하는 방향성이 비슷하다면 공감대 형성에 유리할 것이다.

(3) 나의 성향/일정에 맞는 프로세스 가능 여부(process)

또 한 가지 포인트! 나의 성향을 정확하게 전달하고, 나에게 맞춰 진행이 가능한 업체인지 확인해야 한다. 사람마다 갖고 있는 불안감과 만족감을 결정하는 기준은 다르다. 본인에게 맞춰 준비 가능한지 확인해야 공사기간스트레스를 줄이는 방법이다.

예를 들면,

① 매일 작업 상태 공유가 가능한 곳인 가

② 저녁 시간대에 연락이 가능하기 때문에 늦은 시간에 연락이 가능한가

③ 그 외… 개인 상황

개인마다 상황이 있다면 업체 선택하기 전 사전에 전달하고, 가능 여부를 확인하자.

피해야 할 업체 고르는 방법

피할 수 있는 지금이 바로 기회!

업체 결정을 할 때〈실패〉라는 일을 겪고 싶지 않은 마음이 가장 클 것이다. 현실적으로 공사를 잘하는 업체 찾기보다 불량 업체를 거르는 게 쉽다. 최악을 피하면 반은 성공으로 나와 성향이 맞고, 대화가 잘 통하는 업체를 선택하면 된다.

사실 좋은 업체란 사람마다 기준이 다르지만 피해야 할 업체는 기준이 있지 않을까? 흔히 말하는 사기꾼과 불성실한 업체를 피하면 된다. 이쪽 일을 하면서 간접으로 봐 왔던 '본 공사가 끝난 후 사기(호구) 당한 기분이 들었다' 하는 상황들로 천천히 필독해 이런 업체는 피해 보자.

(1) 견적서를 쉽게 보내주는 업체는 의심해 보기

디자인 상담과 실측도 없이 평형대만으로 온라인 견적서를 발송하는 업체는 피하는 것이 좋다. 완성도를 높이는 것보다는 계약서 작성만을 목표로 하기 때문에 시작과 끝이 다를 확률이 굉장히 높다.

일명 견적서공장, 인테리어 양산형일 확률이 높은데, '인테리어는 공장에서 찍어내는 물건이 아니다.' 공간(집)을 그저 물건처럼 찍어 낸 형태로만 보는 업체는 고객 니즈(needs) 반영과 완성도보단 빠른 공사 완료와 사업체 이윤을 우선하는 업체이다.

인테리어 견적서는 공사에 되는 인건비와 자재산출만 하기 위해 단순히 작성된 서류가 아닌 1차 디자인 및 설계 초안은 정해져야 한다. 안 보이는 준비부터 필수항목까지 작성할 수 있는 디테일 고민이 필요하다. 고작 전화상 몇 가지 대화/(웹) 설문지로 엑셀 서식 넣어가며, 쉽게 작성할 수 있는 서류가 아님을 잊지 말자. **가장 중요한 내 예산과 연결되는 반복 이야기이다.**

(2) 과도하게 선입금을 요구할 경우

실력 있는 업체라면 운영자금은 있을 텐데 공사 시작도 전에 착수금을, 공사 중간에 중도금을 과도하게 먼저 요구한다면? 공사대금(금액)은 당연히 시기에 맞춰서 지급을 해주는 건 맞다. 하지만, 작업도 전에 회사 운영자금에서 준비할 수 있을 텐데 왜 이리 많은 선입금을 요청할까?

온라인에서 봤던 사기꾼 공사 중단된 사람들 레퍼토리(repertory)랑 비슷한 것 같기도 하다? 공사대금은 진행(진척)률에 따라 지급되어야 한다. 공사 진행이 50%에 일부 얼마, 70%, 90%에 총금액 몇 프로 중도금 등… 공사 진행 여부를 꼭 확인 후 중도금은 공정 진행률과 지급 금액은 비례 된다. 공사 전에 중도금을 요구할 경우는 의심을 해봐야 하는 것 중 하나이다.

(3) 다 해준다는 자신감

"제가 지금 말씀하신 건 다 넣어서 예산(금액)에 맞추어 할 수 있어요." 꼭 한번 A 아파트 공사를 해보고 싶었는데, 다 맞춰 드릴 게요…." 다 해준다는 이야기를 들으면 천사가 나타났다 생각이 들 수도 있다. 인테리어 공사 일을 취미 생활로 하는 자선사업가라 소개하지 않는 이상 천사가 **가면을 벗을 확률은 99.9%**

(4) 약속시간

사소한 연락 시간, 약속조차 지키지 않는 사람은 책임감을 의심해 볼 만하다. '약속시간은 두 사람이 정해 놓은 구두상 계약과 같다고 생각한다.'

고객입장에서 봤을 때, 공사 완성도가 높다는 건 고객 취향과 원하는 걸 잘 반영해 상상 속 공간을 현실화했다는 것으로 취향을 알기 위해서는 단기간에 많은 대화를 통해 서로 알아가는 시간이 필요하다. 디자인미팅을 하거나 전화, 문자를 통한 끊임없이 소통해야 한다. 즉, 연락과 약속의 연속이란 이야기이다.

하나를 보면 열을 안다고 하지 않던가, 처음 모습을 잘 보아야 한다.

  A: "상담 예약을 하고 싶은데요, 내일 1시에 방문 예약 가능할까요?"

  B: "스케줄 확인해 보고 연락드리겠습니다."

  A: "혹시 몇 시쯤 연락 받을 수 있을까요?"

  B: **"점심시간 전까지 확인하고 연락드리겠습니다."**

(오후 4시쯤 연락이 왔다.)

  B: "내일은 1시는 일정이 있어서, 내일 3시 혹은 모레 1시는 어떠세요?"

처음엔 '바쁘니 그럴 수 있지…생각해 보면 몇 시간쯤이야.' 대수롭지 않게 넘겼다. 이건 친구와 간단한 약속을 잡는 일이 아니다. 잠재 고객과 연락 시간조차 지키지 못한다면 큰일이라고 한들 과연 잘 지켜 나갈 수 있을까? 업체가 연락이 잘되지 않는다면 문제해결의 시작조차 하지 못한다.

책임자가 상담원이 아니기 때문에 현장에 있거나 다른 미팅을 하고 있다면 연락을 못 받을 수도 있으며, 당연히 부득이한 이유는 있어서 한, 두 번은 피치 못할 상황으로 인해 약속을 못 지킬 수는 있다. 하지만, 포인트는 '반복'해 시간 약속을 지키지 않는 것이다. 이 상황이 반복된다면 공사를 떠나 스트레스가 극대화된다.

인테리어에 시간은 금전(돈)과 바로 연관된다. 시간약속에 대한 중요도가 낮은 업체는 부득이한 핑계가 많아지지 않을까?

(5) 상담(미팅)담당자와 현장 책임자가 다른 업체

고객이 업체 선정할 때 각 업체 포트폴리오와 연혁만 보고 결정을 하는 것은 아니다. 상담자(담당자) 사람 느낌도 중요하다. 대화하는 사람의 언행과 공사에 대한 열정 등… 업체에 이미지, 곧 첫인상이라 말한다. 사람들이 결정을 한 이유에 상담을 진행했던 사람이 대화가 잘 되어 잘할 듯해서라 답한다.

상담(미팅)/계약할 때 담당자 비중이 크다는 걸 알 수 있는데, 정작 공사가 시작하니 다른 담당자와 공사를 진행하게 된다면 어떨까? 지금까지 느꼈던 첫인상에 좋았던 기억이 무색해지고, 다시 처음부터 모든 걸 이야기해야 할지도 모른다.

인테리어를 성공하기 위해서는 고객과 업체 간의 원활한 소통(전달)이 중요한 요소인데, 상담자와 공사 책임자가 다르다는 건 1:1로 대화를 해도 발생하는 오해, 정보누락이 대화 상대가 바뀌면서 더 많아진다. 업체들 상담자(담당자)는 정식 계약 시 필요한 금액, 기간을 조절하고, 결정할 수 있는 권한이 있는 사람으로 보통 회사 대표가 진행을 한다.

(※ 공사책임자: 시작 전 설계부터 공사에 관련된 모든 일에 총괄하는 사람)

규모가 있는 회사, 기간 내 여러 공사를 동시 진행하는 곳이라면, 본계약 진행 후 담당자(디자이너)가 각각 배정되는 경우가 있다. 여기서 본계약 후 대표에서 디자이너로 공사책임자가 변경된다 해도 모든 상담 및 공사 현장 감리를 디자이너가 진행한다면 문제가 적어진다.

공사책임자가 결국 하나부터 열까지 고객과 끝까지 소통하며, 현장 권한도 함께 있어야 소통의 부재를 줄일 수 있으니 현장 총책임자가 누구인지 사전에 확인해 두는 게 좋다.

(6) 많은 공사를 동시 진행하는 업체

사업체 운영에 이유는 직업의 만족도도 있겠지만, 이윤을 추구해 경제활동을 이어 나가기 위함도 있기에 인테리어업체는 공사 이윤을 생각해야 한다.

인테리어 공사를 많이 진행하는 업체는 규모가 있고, 그만큼 찾는 사람이 많으니 실력 있는 업체라는 건 사실이다. 하지만 직원(인원)수, 규모에 비해 공사를 동시에 여러 곳 하는 업체는 실수도 많을 수도 있다. 내가 본 업체들은 무리한 공사스케줄을 진행하면 만족도와 수행 능력이 떨어져 공사 개수를 조절하는 것으로 알고 있다. 이런 조절도 하지 않는 업체는 오직 이윤(돈)을 추구하는 업체들이었다.

내 주관적 견해일 수 있다. 오롯이 욕심만으로 공사해서는 안된다고 본다. 과부하로 일정이 꼬이는 상황에서 과연 진행하는 공사에만 집중을 할 수 있을까?

여러 공사를 한 번에 하면 한곳 한곳의 집중도가 떨어져 완성도를 높이는 데 필요한 노력이 줄어들 수밖에 없으며, 인테리어 공사 중 발생한 변수들과 실수에 대해 즉각 대응이 되지 않아. 재시공과 같은 일들이 종종 일어난다.

인테리어 관련커뮤니티 보면 전달이 누락될까 염려해 직접 자료 만들고, 문자, 대화 등 전달해도 업체에서 누락시켰다. 왜 이러는지에 대한 질문도 올라온다. 공사 현장이 겹치며, 내 · 외부 소통과 정보공유 부재가 발생하고, 공사 시작 전 준비했던 내용들 누락도 생기며, 쉽게 풀 수 있는 에피소드도 감정으로 번진다. 계약이전 총괄 담당자와 중복 공사 여부는 업체 선택에 확인은 필요하다 이야기하고 싶다.

(7) 현저히 짧은 공사 기간도 가능하다.

업체 문의 시 하나같이 '공사 기간을 최소 4주라 한다. 한 업체는 14일 이내 가능하다고 한다면?' 어떠한 공사 노하우가 있는지 알 수는 없으나 확실한 건 있다. 깔끔한 마감은 기대하지 말 것!

(8)포트폴리오(시공사례사진)를 보여주지 않는 곳

기본 중 기본이다. 이 세계에선 준공 촬영을 위해 공사한다 해도 과언이 아닌데, 왜 사진 한 장이 제대로 없는 건지?

[chapter 1. 인테리어 업체들 시공 후기는 이곳에 있다.-16p] **사례를 한 번 더 생각해 보자..**

계약서 작성 시 꼭 확인할 것

2라운드 시작

어렵게 업체를 결정했다면, 이제 1라운드가 끝난 것이다. 2라운드 시작은 견적을 토대로 한 서로의 약속을 이행하겠다는 확인과 체결이 되는 시간인 계약서 작성 진행이다. 계약서 사인의 중요성은 누구나 알고 있지만, 추후 이 계약서로 피해를 보는 일도 발생한다.

공사도급(하도급)계약서의 세부 내용은 견적서 기반이기 때문에 첫 번째는 견적서가 완벽해야 하며, 인테리어 계약서는 실내 건축표준계약서로 대부분의 약관(조항)은 흔하게 접할 수 있는 내용이 아니고, 업체마다 내용은 입장에 맞추어 변경을 하기 때문에 낯설고, 다 기억할 수 없다. 그중 체크하고, 주의해야 할 사항은 있는지 알아보자.

(1) 기본 정보는 확실하게 기재하기

현장 주소와 공사 시작일, 마감(완공) 날짜는 정확하게 기재해야 한다. 기본 정보를 놓치는 경우가 많은데 가장 중요한 정보는 꼭 확인해야 한다. 특히, 공사 시작일과 마감일을 제대로 기재하지 않으면, 공사 지연/연장에 대한 손해배상을 받을 수 없다.

제1조(목적)

이 계약서는 실내건축·창호 공사를 의뢰한 소비자와 시공업자와 사이에 체결된 공사 계약상의 권리·의무 및 책임에 관한 사항을 규정함을 목적으로 한다.

제2조(계약서 제공·설명 의무)

"시공업자"는 계약체결 시 소비자에게 상호 및 대표자 성명, 영업소재지 주소("소비자"의 불만을 처리할 수 있는 곳의 주소 포함)를 기재한 본 계약서, 공사면허 등을 소비자에게 제공하고 다음 각 호의 규정을 "소비자"가 이해할 수 있도록 설명하여야 한다.

1. 시공장소 및 공사일정
2. 공사비(계약금, 중도금, 잔금) 및 지급방법
3. 공사의 범위 및 공사의 내역
4. 연체료 및 지체보상금
5. 계약보증 및 해제, 위약금
6. 공사의 변경, 양도양수, 하자보수

제3조(계약내용)

① **시공장소 :**

② **공사일정 : 착공일**   .   . 부터 **공사완료일**   .   . (일간)

   ※ 단, 아파트 입주예정일 지연 등 부득이한 사정이 발생한 경우 "소비자"와 "시공업자"는 합의하여 공사 완공일자를 조정 할 수 있다.

(sample) 표준계약서 약관 중 일부입니다.

(2) 업체 정보 확인하기

계약하는 곳 장소와 대표자가 계약서상 기재된 내용과 같은지 확인하는 것이 좋다. 내가 공사를 맡기는 업체의 사업자등록증 상 주소와 대표자 이름을 확인하는 과정은 기본 중에 기본이다. 누구인지 확인 절차는 거치자.

(3) 약관(조항/특약) 확인하기

계약 약관(조항)/특약사항은 큰 틀은 같다. 각 업체마다 내용이 다르다고 문제가 되진 않는다. 공사 전 특이 사항이 있으면 특약을 추가하여 변경도 가능하기 때문에, 천천히 필독한 후 변경 요청해 보는 것도 추천한다. 단, 무리한 변경은 계약을 부정하는 것과 같아 업체의 오해 소지가 있으니, 꼭 필요한 부분만 협의하여 요청해야 한다.

(4) 견적서와 계약서를 같이 두고 한 번 더 체크하기

앞에서 말한 듯이 계약서상 계약금은 견적서를 기반으로 작성하는 것으로 견적서가 곧 계약서가 된다. 견적서와 비교해서 확인하기는 필수다.

더 많은 세세한 내용을 나열할 수도 있지만, 만약에 공사 중 문제가 발생했을 땐 계약서도 아무 소용이 없어지기도 한다. 약관 하나에 모든 피해와 사건이 해결되는 건 아니기 때문이다. 인테리어 공사에 약관은 애매모호하다. 당장 멈춘 공사를 마무리할 수도 없고, 인테리어 피해 사례로 소송을 진행하는 경우에 연락 두절이 된다면 계약서도 무의미 해진다.

혹여나 소송으로 법정 싸움으로 이어진다면, 도급계약서와 더불어 견적서도 필요하다. 도급계약서에는 공사 내역은 들어있지 않기 때문에 시시비비에 견적서가 더 중요하다. 기본 정보를 더 꼼꼼히 확인해야 한다.

안타까운 현실이 업체 입장인 내가 보아도 중요한 건, 계약서, 견적서보다 "업체를 잘 선택해야 한다"라는 결론이다.

예산에 맞는 최적의 자재 선택하기

한정된 예산 내에 비싼 자재를 사용해 인테리어 퀄리티를 높이고 싶은 마음은 모두 같지만, 현실과 타협도 필요하다. 자재 등급에 따른 금액 차이가 큰 만큼 최소 2~5배 차이가 나는 게 현재 인테리어 시장이다.

다행인 건 건축자재 시장이 상향평준화 되어 고급형의 대체품으로 가성비 괜찮은 자재도 많아졌다. 우리 일상에 많은 차지를 하는 중국 제조품도 기술이 좋아져 예전처럼 중국산 하면 저가품이 아닌 실제로 사용하면 유럽/미국의 제품보다 괜찮은 제품도 보인다. 국내 자체 개발하는 제조사들도 늘어나 수입 자재에 의존하던 수입 제품이 국산 제품으로 대체해 선택폭이 넓어진 만큼 예산에 맞는 적합한 자재를 선택하면 좋다.

(1) 타일

예전엔 욕실, 발코니(베란다), 현관 바닥 등 물을 쓰는 곳만 사용했던 타일이었다. 요즘 타일은 벽, 바닥 등… 공간 제약 없이 사용하고 있다. 그뿐만 아니라, 세면대, 욕조, 가구 등… 타일을 활용한 인테리어 폭은 확대되고 있다. 그만큼 타일 패턴과 크기가 커져 인테리어에 두루 활용되고 있다.

타일의 고급은? 〈원산지〉에 따라 결정되는 경우가 많다. 특히, 유럽산은 기본 강도가 강하고, 가장 특징인 디자인으로 자연석을 가장 유사하게 색감, 질감을 잘 표현한 타일이 많다. 저가인 중국산이 따라갈 수 없는 디테일이 있다. 화려한 색감과 패턴, 질감이 잘 표현되어야 한다면, 유럽 제품이 월등해 유럽산을 추천한다.

타일 단가는 1HB(헤베) = 1㎡(1m x 1m) 단위로 견적 산출이 되는데, 유럽산 타일과 중국산 타일의 가격 차이는 평균 2.5배 이상 차이가 난다. 다만, 심플하고, 모던한 타일을 원한다면 중국산 타일로 충분히 커버가 가능해 가성비 있는 선택이 가능하다.

중요한 건 자재 등급도 중요하지만, 타일 공정은 시공 능력 비중이 더 크다고 할 수 있다. 말 그대로 시공능력으로 자재를 커버할 수 있고 완성도를 올릴 수 있다. 그렇다면, 고가의 타일을 저가의 타일로 대체해서 자재 금액은 줄이고, 디테일한 시공으로 자재 등급을 커버해 퀄리티 있는 마감이 가능하다.

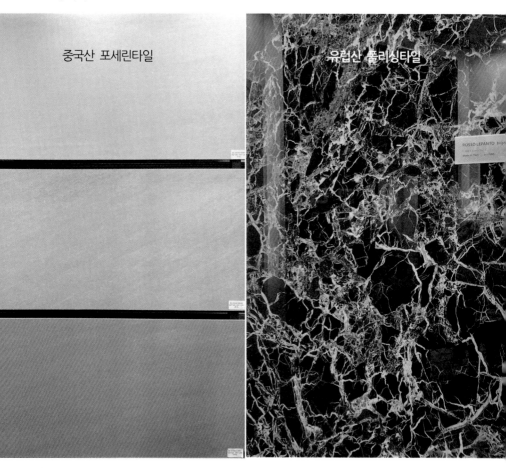

(2) 가구 (고정형/붙박이장)

여기서 가구는 붙박이형의 고정 가구를 말한다. 신발장, 싱크대, 수납장, 공간 크기에 맞도록 제작하여 설치하는 가구이다. 가구 공정은 부피가 크고, 산출되는 견적 금액도 높다. 현관-신발장, 주방-싱크대, 침실-붙박이장 등… 각 공간에 필요로 하는 가구를 설치하는데 현관이라는 공간에서 신발장이 차지하는 부피는 50%, 주방에서 싱크대는 70%일 만큼 인테리어에 가구는 공간에서 보여주고, 사용되는 면적 비중이 크다.

가구 견적을 산출할 때 도어와 내부 몸통/자재에 사용되는 하드웨어(부속품)에 따라 견적이 달라지는데 하드웨어는 개별 옵션 사항이라 제외하고, 도어 선택 시 가성비 제품을 사용한다면 금액을 낮추는 방법 중 하나이다.

그중 제품을 손꼽자면 PET(페트) 도어이다. 알고 있는 음료수 페트병 재질을 말하는 것으로 가격도 저렴하고, 디자인이 깔끔하여 가성비 도어로 좋다. PET(페트)도어 인기가 증가함에 따라 컬러와 디자인, 지문 방지와 같은 기능성까지 선택폭이 다양해지고 있다. 화려한 컬러나 문양은 없지만 민자 도어처럼 모던함을 추구한다면 PET도어로도 고급스러운 연출이 가능하다.

또한, 손잡이 유무에 따라 디자인을 다르게 할 수 있는데, 모던함을 원한다면 PET(페트) 가구에 손잡이가 없는 푸시(누름) 형태나 목 찬넬 형태로 깔끔함을 추구하고, 포인트를 원한다면 가구 손잡이를 활용해 다른 연출 해주는 것도 방법이다.

(3) 바닥재

주거 공간에 바닥 마감재로 타일과 대리석을 활용한 인테리어도 진행하지만, 가장 보편화된 자재는 예전이나 지금이나 나무 소재 마루이다. 보금자리의 따뜻함과 아늑함을 연출하기에는 마루를 대체할 자재는 없는 것 같다.

마루는 크게 강화마루, 강마루, 합판마루, 원목마루로 나누어지는데, 강마루나 강화마루는 필름을 이용해 나무를 흉내 낸 제품이라면 원목마루는 말그대로 나무로 표면 마감한 마루다. 원목마루는 두께가 두껍고, 한 장의 폭과 길이도 넓어 고급스러운 우드 인테리어를 표현할 때 사용되는 마감재로 강마루에 비하면 3배 이상 차이 때문에 금액 부담이 생겨 선택하는데 제한이 생긴다.

하지만 우리나라 제조 능력은 우수해 국내 여러 마루 회사에서 수입 원목마루를 대체할 제품들이 꾸준히 개발되고 상용화되고 있다. 원목의 두께를 줄이는 대신 마루의 몸통이 되는 합판의 퀄리티를 높이면서 제품의 기능은 올리고 금액은 낮추면서 수입 원목마루를 사용할 때보다 고객들의 금전 부담을 줄이고, 만족도를 높일 수 있게 되었다.

또한 타일 마루나 대리석 마루, 마루와 타일의 장점을 모아 놓은 신소재들도 있으니 비교해 보자.

· 원목마루: 합판에 2mm이상 원목을 붙여서 넓고 두껍다.

· 합판마루: 합판에 무늬목(종이처럼 얇은 원목)을 붙인다.

· 강마루: 합판에 우드/타일 느낌의 필름을 붙인 대중적인 바닥재이다.

원목마루　　　　합판마루　　　　강마루

금액이 높은 순서로 정리하면 **원목마루〉 합판마루〉 강마루** 순으로 참고하면 좋다. 사진만으로는 구분이 쉽지 않을 수 있기 때문에 꼭 실물 샘플을 확인해야 한다.

(4) 벽지

벽 마감재로 많이 쓰이는 친숙한 벽지는 수입 제품과 국산 제품으로 나뉜다. 두 가지 차이는 금액이 2.5배 이상 나는 게 가장 크다. 수입 제품들 경우는 화려한 패턴과 선명한 색감이 돋보이는 벽지가 많다. 공간의 벽 마감 역할보다 포인트가 되는 화려한 그림 같은 벽지가 많다.

국산 제품은 합지(종이)벽지와 실크(겉면PVC) 벽지를 생산하고 있다. 화려한 그림 같은 포인트 역할보다는 벽지 자체 내구성에 중점을 두었다. 특별한 벽지를 찾는 게 아니라면 국산 브랜드 벽지로도 충분하다.

(5) 필름

벽지와 마찬가지로 필름도 수입과 국산 제품으로 나뉘는데, 국내에 알려진 수입 브랜드 제품 필름을 보면 실제 무늬목과 같은 결이 섬세하고, 필름 두께가 얇아 시공했을 때 이질감이 적은 디테일을 엿볼 수 있다. 국내, 외 필름 브랜드가 많지 않아 금액 차이가 크기 때문에 샘플을 꼭 보고 비교 확인해 보아야 한다.

(6) 상판

주방 싱크대와 욕실 세면대, 화장대 등 가구 위 마감을 상판이라 말한다. 공통점이 물을 쓰거나, 사용이 잦아 가구가 손상이 될 수 있어 가구 보호가 단단하게 필요한 공간에 인조대리석, 천연대리석, 세라믹을 많이 사용한다. 가격순으로 정리해 보면,

*인조대리석: 상판의 대중적 자재이다. 다른 자재보다 가격이 저렴해 부담이 적다는 게 장점이다. 디자인 선택폭이 적고, 시간에 따라 변색이 있을 수 있다.

*세라믹: 큰 타일이라고 생각하면 쉽고, 타일인 만큼 오염에 관리가 편하고 디자인요소로 천연대리석을 오마쥬(비슷하게 표현)한 패턴들과 질감들이 선택폭이 다양하다

*천연대리석: 산성과 수분을 흡수하여 관리가 까다롭지만, 자연에서 주는 고급스러움은 대체가 불가한 건축자재이다. 세라믹의 대중화로 인해 최근 대리석만큼 금액이 올라가고 있지만, 실제로 대리석과 세라믹을 비교해 보면 확연히 다름을 알 수 있다. 상판 마감에 따라 공간, 가구 분위기가 달라진다. 가구 등급을 낮추고, 상판 등급을 올리는 경우도 있다. 장/단점을 충분히 숙지한 후 선택하는 게 좋다.

(7) 수전(주방, 욕실)

주방, 욕실에 중요하고, 공간 악세서리로 수전도 각 제품마다 금액 편차가 크다. 수입은 미/유럽 브랜드가 있다. 국내 재고가 없는 경우가 많아 최소 2주~3개월이 소요되기 때문에 공사 마감 일정에 맞춰 미리 발주해야 한다.

디자인과 성능 면에서 월등하지만, 그만큼 비싼 금액과 배송 문제가 있다. 수입 제품은 국내 주거 수도시스템과 규격이 맞지 않아 별도 부품 또는 설치가 불가능한 경우도 있으며, A/S는 사실상 어렵다는 점도 미리 숙지해야 한다. 국내 제품은 아직까지 수입 제품에 비하면 디자인이나 기능이 부족한 건 사실이다. 국내 제품인 만큼 국내 주거 설비에 맞는 제품들이다.

즉, A/S 편리함과 합리적인 금액 대이다. 편리성과 A/S를 중요하게 생각하면 국내 제품을, 불안 요소는 있지만 디자인과 기능이 중요하면 수입 제품을 고려해 보는 게 좋다.

(8) 마무리, 힘 조절을 하자

가성비 자재 선택만으론 인테리어 효과를 극대화하기란 한계가 있는 게 현실이다. 그 이유는 싸고, 좋은 제품은 제한적이기 때문이다. 자재 등급 조절하고, 더불어 공간마다의 아이디어를 더해 힘 조절해 주는 게 좋다.

간단한 예로, 바닥은 마루 시공을 할 경우 거실, 주방 등의 공용공간, 침실과 같은 개인 공간을 나누어, 마루 등급을 나누는 방법도 있다. 공용공간은 바닥의 노출되는 면이 많지만, 침실은 가구들로 인해 노출되는 면이 적어 공용공간은 원목마루로 시공하고, 침실 공간은 힘을 줄여 강마루나 합판마루로 시공해 힘 조절하는 방법이다. 디자인 효과를 보는 동시에 금액도 줄여 많이 활용한다.

예산이 여유가 있다면 상관없지만, 타이트한 상황에서는 활용하는 방법으로 힘 조절을 해 예산 분배를 잘해야 금액 대비 최고의 효과를 준다.

업체 관계자들과 트러블 없이 소통하기

소통이 곧 완성도를 높인다

인테리어는 물건이 아닌 하나하나 과정을 차곡차곡 쌓아 완성해 나가는 작업이다. 업체 역량에 따라 완성도 차이가 크다. 공사도 잘하고, 인성도 좋은 업체라 의뢰했는데, 진행 과정 중 트러블이 생기는 이유는 뭘 까?

업체의 수행 능력이 부족하지 않다면 관계자와 소통의 오류 때문이다. 진행 시 디자인 설계변경, 자재 변경, 컬러 변경 등 선택과 수정이 반복되는데, 이를 해결하기 위해서는 고객과 업체 협의와 소통은 필수다.

인테리어만 생각해도 어렵고, 머리가 아픈데, 소통 부재까지 생긴다면 서로 감정 소모가 많이 될 것이다. 서로의 트러블을 줄이고, 완만하게 대화하기 위해 주의할 점은 무엇이 있을까?

(1) 상호 존중, 사람과 사람의 만남으로 인지하기.

건축주는 계약서의 금액을 지불하고 의뢰하며, 업체는 금액을 받고 공사를 이행한다. 계약 전까지는 분명 갑과 을의 관계가 정확한데 막상 공사 시작하면 갑과 을이 바뀐 것 같다는 글이 인터넷상 심심치 않게 보인다. 눈치가 보여 하고싶은 말을 못하거나, 작은 요청도 망설여진다는 이야기! 그렇다면 눈치를 보지 않기 위해 소비자의 위치에서 어떤 자세를 취해야 하는지 생각해 볼 필요가 있다.

고객은 업무지시를 정확히 하고, 우리집을 위해 애써주는 업체 노력을 인정해 주는 자세와 **업체**는 이윤만을 추구하는 게 아닌, 집을 맡겨 준 믿음에 보답으로 결과물을 보여줘야 한다.

결국엔 인정과 노력은 사람 관계에서 시작된다는 걸 잊어선 안 된다. '인테리어 성공'이라는 공동 목적을 가진 파트너로서 진행 과정을 담당자와 즐겨보자!

(2) 의견을 정확히 표현하자

위에서 말한 상호 존중, 파트너 관계라고 서로 존중하고, 배려만 이야기하는 건 아니다. 배려와 존중의 첫걸음은 **소통**이다. 소통을 위해 정확한 의사전달도 중요하다. 서로가 제안한 디자인 의견이 달라 논쟁을 할 수 있지만, 대화와 협의를 통해 과정을 극복하다 보면 인테리어를 완성하는데 좋은 밑거름이 된다.

조율하기 위해서는 서로의 생각을 표현하고 제안해야 한다. 각자 어떠한 생각을 하고 있는지 어떤 방향을 원하는지 표현하지 않는다면 상대방은 알 수 없어 솔직하게 표현해야 한다.

공사를 진행할 때 가장 위험한 생각이 고객 입장에서는 '전문가이니 알아서 잘해주겠지!', '내가 제안하는 건 참견이라 생각해 업체에서 기분 상해할 거야' 업체 입장에서는 '고객님은 이렇게 하면 당연히 좋아하실 거야, 일 때문에 바쁘시니 그냥 알아서 하자'라는 이러한 생각들은 배려를 가장한 회피라고 생각한다.

회피가 문제로 번지기 시작하면 서로 간의 오해와 트러블로 발전한다. 디자인 미팅을 통해 충분히 니즈(needs)가 전달되었다 느껴진다 해도 고작 몇 시간 미팅이 상대방의 라이프 스타일과 생각을 다 알 수 있을까?

솔직한 전달은 기본 중의 기본이다.

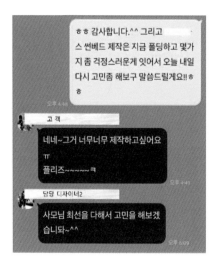

인테리어 하자를 줄이면서, A/S 요구하는 방법

권리와 의무

현재 공사계획 준비 중이거나, 진행하고 있다면 걱정거리 중 하나가 시공하자 발생 여부이다. 고객 기준에는 하자로 보이지만, 업체는 어쩔 수 없다. '공사하다 보면 당연한 일이다'라는 대립으로 인해 감정 소모와 더불어 하자보수까지 받지 못해 법정 소송까지 진행되는 최악의 상황들이 '나에게도 생기지 않을까'라는 불안함이 생긴다.

사건, 사고들은 누구에게나 발생할 수 있어 경각심은 가져야 한다. 원활하게 하자보수와 A/S가 진행되면 좋겠지만, 그렇지 않은 경우들이 온라인에 '피해사례'로 종종 보인다. 고객이 비용을 지불하고, 의뢰했기 때문에 생각과 다른 결과물이 나왔을 땐 시공 문제로 재시공 및 보수를 요청 가능하다. 업체는 고객의 요구사항을 해결해 줘야 한다.

하지만, 현실에서는 고객의 입장에서는 '재시공을 수용해 주지않을까' 노심초사하며 눈치를 보고, 업체의 입장에서는 고객의 '무리한 요구로 스트레스를 받는다' 한다. 쌍방 피해를 주장한다. 이러한 상황이 발생하는 이유는 뭘까? 이 문제는 하자에 대한 명확한 기준이 없고, 서로 간 입장 차이로 인해 사건 사고로 확대된다. 인테리어는 공산품이 아닌 여러 공정과 많은 작업자들의 손을 거쳐 가며 만들어가는 수작업으로 변수와 미흡한 부분은 생길수밖에 없는 구조라는 걸 우선 인지해야 한다.

그렇다고 '완벽할 수 없으니, 이해하자'라는 말은 아니다. 90% 이상의 시공 완성도를 진행할 수 있으며,

나머지는 계획했던 공정들이 마무리된 후 마감이라는 공정을 추가해 하자 보수와 A/S를 진행해 가며 채워 갈 수 있다. 하지만 선택한 곳의 책임감과 시공 능력이 부족하다면 마감을 통한 완성도는 기대하기 어렵다.

'결국 90%까지 완성도를 높인다.' 생각해야 한다. 나머지 10%는 추후 채워 나가는 게 목표로 물론 모든 사람의 완성도 기준이 다르지만 생각했던 기대감보다 10%로는 낮게 잡아보자.

※ 여기서 중요한 팁(TIP)을 알아보자.

업체 역량이 아닌 이 책을 읽는 독자들이 할 수 있는 하자를 줄이면서 시공 보수를 요구하는 방법을 몇 가지 추려 보았다.

(1) 원인을 만들지 말자

내부 인테리어 진행 시 선정한 업체가 시공 능력이 현저히 떨어지는 게 아닌 이상 큰 하자보다는 시공 면이 찍히거나, 까지고, 깨지는 등 작은 하자들이 많을 것이다. 작은 부분들은 어렵지 않게 보수가 가능하다. 반대로 큰 하자는 전면 재시공으로 이어져 금전적, 정신적 큰 피해를 본다.

그렇다면, 큰 하자에는 어떤 게 있을까? 여러 하자가 있겠지만, 그중에서도 피해가 큰 누수를 예를 들어보자. 욕실처럼 물을 사용하는 공간은 누수로 인해 아랫집까지 피해 보는 상황이 생긴다. 누수로 인해 우리 집 바닥재가 썩고, 벽면이 오염과 곰팡이가 생겨 안락한 보금자리가 망가져 가고, 아랫집에 천장으로 물이 새 천장 및 도배 공사를 해줘야 하는 상황이 발생하면 금전 피해도 크다.

욕실 누수는 다양한 원인이 있지만, 그중 방수층이 깨져 누수가 발생할 확률이 가장 높다. '방수공사는 욕실을 큰 욕조로 만든다.' 생각하면 이해하기 쉽다. 욕조에 약간의 틈이나, 조그마한 구멍만 생겨도 물이 새어 나오듯이 처음 욕조를 시공할 때 꼼꼼히 설치해야 하는 것과 방수 공사는 같다고 보아야 한다.

즉, '**원인을 만들지 말자**'라는 말은 지금 당장 비용을 줄이기 위해 방수 공사를 생략 후 덧방 시공(기존 타일을 철거하지 않고, 그 위에 새로운 타일을 시공하는 방식)을 하는 경우들이 있는데, 언제 터질지 모르는 시한폭탄을 안고 살아가는 것이다.

대신 방수층의 수명은 평균 10년 이상으로 준공 연차가 5년 안쪽이라면 괜찮지만, 만약 5년이 지났다면 무조건 방수공사를 진행한 후 욕실 공사를 진행하자. 방지할 수 있는 행동을 취했다면 A/S 기간 내 최악의 상황이 발생했을 때, 최소한 업체로부터 '덧방 시공했기 때문에 누수는 책임이 없어요'라는 무책임한 말은 피할지도 모른다.

이처럼 큰 하자가 발생할 수 있는 공정들은 리스크에 대해 정확한 이해가 필요하며, 진행 시에는 하자가 없는지 꼼꼼하게 확인을 한다면 큰 문제의 원인 자체가 생기지 않을 것이다.

(2) 현장 미팅을 진행하자

인테리어에 하자가 발생하는 경우는 시공해야 할 **제품 불량**, 작업자 실수로 생기는 **시공 불량**이다. 제품 불량은 타일파손, 가구 스크래치, 도배지 오염 등으로 제품생산 문제 및 배송 실수로 인해 생기는 말 그대로 자재(제품) 불량을 말하고, 시공 불량은 작업자의 시공 부주의로 인해 시공 시 자재파손 및 훼손, 계획했던 면이 아닌 다른 작업 면에 시공하거나 다른 자재를 시공하는 경우 등을 이야기한다.

제품불량과 시공불량을 줄이면서 동시에 하자보수를 요구할 수 있는 방법이 현장미팅을 진행하는 것이다.

현장 미팅이란! 공사 진행 중간에 공정 진행사항을 확인하고, 다음 공정 시 필요한 제품을 선택하기 위해 공사현장에서 진행되는 미팅이다. 작업의 방해를 줄 수 있어 보통 작업이 불가능한 주말이나 당일 작업이 완료된 후 저녁 시간대에 약속을 잡는 게 좋다.

현장미팅이 진행 과정에 포함되어 있는 업체면 상관없지만 아니라면 꼭 요구하자. 현장에서 제품 불량과 시공불량 유무를 직접 눈으로 확인할 수 있고, 책임자에게 직접 사전 보수를 요구할 수 있다. 더불어 전화나 문자를 통한 대화에서 생기는 오류를 줄일 수 있어 서로 협의해가며 하자 보수를 해결하는 데 효과적이다.

업체입장에 난감한 경우는 공정이 끝난 후 그 공정에 대해 하자보수/변경을 요구했을 때이다. 타일 시공이 끝나고 한참 후 "타일마감이 마음에 안 드니 수정해주세요." 라는 상황을 말할 수 있다.

마무리 후 수정 요청을 한다면 얼마나 당황스러운 상황이 되겠는가… 중요한 공정이 마무리 완료되기 전 현장미팅을 요청해 하자유무를 확인하고 보수를 요청하자.

(3) 준공 미팅 시 꼼꼼하게 확인하자

입주 청소 및 마감 작업까지 끝난 후 고객에게 현장을 인수인계하는 시간으로 준공 미팅을 한다. 업체는 제품들 사용 시 주의 사항 및 관리하는 방법들에 관해 설명해 주고, 고객은 공사 하자가 있는지 없는지 확인하는 시간이다.

업체는 고객의 믿음에 보답하기 위해 최선을 다하지만, 사람이기 때문에 놓치거나, 고객 기준에 못 미치는 사항이 있을 수 있다. 부족한 걸 해결하기 위해선 준공 미팅 시 시간이 걸리더라도 책임자와 확인해 가며 꼼꼼하게 체크하자.

한 가지 더 중요한 건 간혹 전화, 문자 등 전화상으로만 준공 미팅을 대체하는 업체도 있는데, 가볍게 넘어갈 일이 아니다. 만약 문제가 있어 건의하고, 시공상 이유에 관해 설명을 듣고 난 후 간단히 해결되는 경우도 있다. 대화를 통해 입장차이를 줄여, 원활한 하자보수를 진행할 수 있던 상황이 감정싸움으로 번지는 경우도 있다. 준공 미팅은 현장에서 책임자와 얼굴을 마주하며 진행하자.

(4) 주고받기(Give and Take)

모든 일에는 마무리가 중요하다는 말이 있듯이 공사가 끝나도 고객과 업체의 관계는 계속 이어진다. 같은 관심사로 며칠 몇 주간 동안 매일 연락하는 관계가 되면서 빠르게 친밀해지며, 그렇게 친구 사이가 된 경우도 있다. 물론 사적인 만남이 아닌 공적으로 시작해 좋은 관계를 유지하기 위해선 더 많은 노력이 필요하다.

나 또한 물론 "모든 고객과 다 친구처럼 사이가 좋다" 말할 순 없지만, 틀어진 관계없이 좋은 관계를 유지하고 있다. 업체 입장인 우리도 1년이 지난 후에는 A/S보다는 도움 요청으로 인식이 바뀌기 시작하고, 오랜만에 친구를 만나러 가듯 만남이 기다려진다. 고객의 입장에서도 '오랜만에 맛있는 커피 준비해야지'라는 설레는 마음으로 A/S 방문을 기다리신다고 한다.

확실한 사실은,

이러한 관계를 만들기 위해서는

고객과 업체 모두 노력해야 한다는 것이다.

A/S는 유상과 무상이 있고, 기간까지 계약서상 정해져 있다. 고객의 과실에 의한 하자는 유상, 업체의 시공하자는 무상이 된다. 조금은 예민한 부분으로 작은 트러블이 생기기도 하고, 큰 오해를 불러오기도 하는데 '말 한마디'가 여기서는 중요한 사항이 된다.

말 한마디가 천 냥 빚을 갚는다고 하지 않던가, 처음부터 불신을 가지고 대한다면 상대도 방어적으로 나올 것은 당연한 일이다. 모두가 아는 이야기지만 실천이 어려운 따뜻한 말 한마디는 관계 지속성이 필요한 사이에서는 꼭 필요한 덕목이다.

일회성 만남으로 끝난다면 본인에게 돌아올 손해는 없을지 모르지만, 최소 1년은 관계가 이어진다 걸 잊어 선 안된다. 계속되는 의심과 무시를 당한다면 계약서에 명시된 날짜가 지나면 칼 같이 돌아서 버릴 것이고 호의적인 사람의 작은 A/S 요청도 모른 척할 수 없는 게 현실이다. 의심하며 방어하던 말투는 잠시 내려놓고, 감사 인사를 전하며 좋은 관계를 유지할 수 있도록 노력해 보자.

※ 계속 A/S를 미루거나, 연락조차도 잘 닿지 않는 업체엔 따뜻한 말 한마디, 공격적 말투 둘 중 어느 것도 필요하지 않다. 화를 내보거나, 설득해보아도 달라질 건 없다. 감정 낭비 대신 다른 방법을 찾아는 보는 것이 현명하다.

[대형 빌딩 오피스 현장] 호실사인 안내판은 자석을 이용해 부착하도록 철판에 우드 질감의 패턴 필름으로 마감해 사무공간에 맞는 무드를 연출한 현장입니다.

고급호텔 복도와 같이
더 길어 보이고, 은은한 분위기를 돋보이게
공간 연출을 해준 현장입니다.

[상 공간] 외부 파사드 작업입니다.
곡선, 직선, 면의 조화로 시선을 끌어
럭셔리한 제품을 판매하는 공간이
더 돋보이게 디자인한 현장입니다.

번외. 완벽한 홈스타일링 하는 법

‖ 나만의 집 꾸미기 ‖

홈 스타일링이란 공사 마무리 후 가구, 패브릭, 소품 등을 활용해 인테리어 마무리를 하는 걸 말한다. 인테리어와 홈 스타일링이 따로 논다면 큰 비용을 들인 인테리어에 역효과를 낼 수 있어 홈 스타일링은 인테리어의 최종 마감이라고 생각해야 한다. 그러면 완벽한 홈 스타일링 하는 법에 대해 알아보자.

(1) 인테리어 업체에 모든 걸 공유하자

인테리어 공사와 홈 스타일링을 구분하지 말자. 공사를 계획한다면 업체와 미팅을 진행하며 디자인과 컨셉을 잡는데 홈 스타일링도 인테리어의 컨셉과 통일해 주는 게 좋다. 공감대 형성을 위해 전문가에게 나의 라이프스타일, 취향, 생각한 이미지를 공유하는데 홈 스타일링까지 아낌없이 공유해 보자.

- 소파는 구매를 할 예정이며, 다이닝(식탁)테이블은 그대로 사용한다.

- 아이 방은 싱글 침대에 책상과 책장을 둔다.

- 거실에는 두터운 커튼보다는 얇은 커튼 만 설치하고 싶다.

- 안방 침구류는 어떤 색이 좋을지 등…

디테일(detail)하게 하나하나 공유하며, 인테리어 업체에 공유하며 도움을 받아야 한다.

만약 스타일링은 별도 진행하지 않고, 인테리어 공사만 한다고 못 박는 업체라 하면 고객의 스타일링 관련된 질문에 시큰둥한 반응일 수도 있다. 그럴 땐 '이 제품을 구매하려고 하는데 괜찮을까요?' 정도 의견이라도 들어보자. 스타일링을 진행하지 않는다 해도 많은 경험에 의한 보는 안목이 더 좋다는 건 당연하므로 인테리어 성공하기라는 한 목표를 가지고 함께 가는 전문가를 활용하자.

ORBIT Poliform

Moooi
Serpentine Light

LE CLUB Poliform

Verner Panton Flowerpot

Wall Art

Archer Sofa Coca Republic

Space Copenhagen
&tradition

The Rug Company

PLIXXA Light-roset

Hec Meeting Hety

Frama o mpex cucmemu

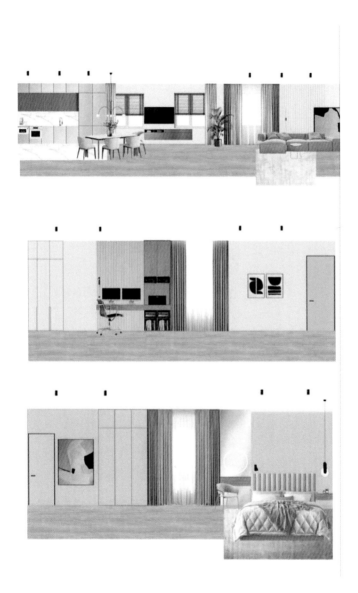

(2) 스타일링을 완벽하게 하지 말자

천천히 여유 있게 스타일링 하면 좋겠다. 큰 부피를 차지하는 가구부터 작은 액자나 소품까지의 광범위한 스타일링을 욕심내 한 번에 하면, 불필요한 홈데코(home deco) 제품만 생겨날 게 뻔하기 때문이다.

사람의 욕심은 끝이 없다는 말을 잊지 말자. 인테리어를 성공하게 되면 완벽한 셋팅을 위한 스타일링에도 욕심이 나면서 과해지는 건 한 끗 차이다. 관심도 없던 오브제(소품) 제품이 쌓이게 되어, 흡사 가구 매장이나 소품 샵처럼 쇼룸이 되어 있을지도 모른다.

처음에는 꼭 필요한 가구와 한두 개의 화병 그리고, 쿠션, 커튼 정도 스타일링해야 한다. 넓은 범위의 스타일링을 한 번에 한다는 것 자체가 압박일 뿐만 아니라, 스타일링이란 집을 꾸미는 기분 좋은 일임에도 압박을 느끼기 시작하면 스트레스가 될 수 있기에 취미 생활처럼 시즌(계절) 변화에 따라 하나씩 변화 주면서 나머지는 천천히 채워 꾸미는 재미를 즐기자.

에필로그 책을 쓰기 전 블로그에 글을 쓰기 시작했었다.

〈인테리어를 바라보는 시선〉 2023.05.04

대학 시절 건축과에서 공부하며, 옆에서 보았던 인테리어를 바라보는 시선에 비해 인식은 좋아졌지만, 아직도 부정적인 시선이 남아있는 건 사실이다.

기술과 능력이 중요한 전문직임에도 다른 직종에 비해 진입 장벽이 낮은 이유가 가장 큰 것 같다. 주먹구구식의 일을 하는 인테리어업체 때문에 피해 사례가 끊이지 않는 것이다.

시작과 끝이 다른 인테리어 견적과 견적 대비 떨어지는 부실시공, AS 등... 인터넷상에 지금도 간단히 검색만 해도 피해사례가 많으니 말이다.

실내 인테리어라는 직업을 삼고 있는 나에게는 참 안타까운 현실이다.

부정적인 이미지는 이 일을 하는 사람들이 만들기도 했지만, 또 다른 한편에선 긍정적인 이미지로 전문가로 인정받기 위해 밤, 낮 없이 프로젝트를 준비하고 진행하는 인테리어 업체의 사람들도 많다.

나는 이 일을 한지 10년이 지났음에도 불구하고 아직도 고충이 많고, 매 현장마다 긴장하고 새로운 마음으로 임하고 있다.

완벽한 마감을 추구하고, 최고의 디자인을 설계하기 위해서는 책임감과 노력이 필요하며 주변의 말에 휘둘리지 않는 결단력과 근거 있는 자신감이 있어야 하기 때문이다.

트렌드에 민감한 인테리어 시장에서 유연한 사고방식으로 새로운 디자인과 시공방식을 받아들여 업그레이드 해야지만 좋은 결과물을 만들고 성장하고, 인정받을 수 있다고 생각한다.

그래서 인테리어 일을 하는 사람들에 대한 긍정적인 이미지를 만드는데, 나 또한 공헌하고 싶다.

〈나는 공사 현장이 참 좋다〉 2023.12.11

 인테리어 착공일이 정해지면 대부분 2달 정도의 준비 기간을 갖는다. 긴 시간 동안 준비를 하여도 공사 진행 중에 계획이 틀어지는 경우들이 종종 있다.

설계, 디자인, 공정표, 초기 자재 발주 등 누락과 실수를 방지하기 위해 몇 번을 확인을 하고, 노력을 들였지만, 생각지도 못한 변수들이 생긴다. 그 해결책을 찾기 위해 컴퓨터 앞에서 준비한 도면 및 자료를 재차 확인해보고. 대책을 강구하려 한다.

만족할 만한 답이 나오지 않을 때 나는 조용히 현장에서 고민의 시간을 갖는 편이다.

아무것도 없는 엉망인 벽, 바닥을 도화지 삼아 낙서하듯 끄적이다 보면 꽉 막혀있던 고민거리들이 해결되는 경우가 많다. 간혹 사무실 책상에 앉아 준비했던 디자인보다 더 좋은 방향성이 떠올려진다.

내가 디자인 설계부터 현장 감리까지 진행하고 있다. 작업과 감리를 하다 보면 내 몸은 땀과 먼지가 뒤엉켜 더러워지지만,

이러한 노력으로 인해 고객들에게 깨끗하고 따뜻한 보금자리를 만들어 줄 수 있는 점에 보람을 느낀다.

많은 고민과 노력으로 만든 디자인 설계도
실현하지 못한다면
종이와 PC에만 남겨진 상상 속 그림일 뿐이다.

그래서
현장에 있는 걸 집착하고 있을지도 모르겠다.

현장에 있으면 생동감을 느낄 수 있고,
내 노력의 결과물을 전달해 주는
나는 공사 현장이 좋다.

내 삶을 흔든 인테리어 - 이왕재

2024.04